KT-501-084

Lettres d'amour de Voltaire à sa nièce

publiées pour la première fois
par
Theodore Besterman

PARIS
LIBRAIRIE PLON

Lettres d'amour
de Voltaire à sa nièce

CARLE VAN LOO

Lettres d'amour de Voltaire à sa nièce

publiées pour la première fois
par

Theodore Besterman

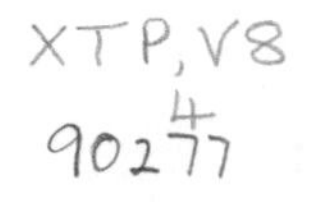

1957
LIBRAIRIE PLON
8 rue Garancière
PARIS VIe

à

Nancy Mitford

TABLE DES PLANCHES

PORTRAIT DE MADAME DENIS, huile de Charles Vanloo, collection de mme Albert Blum, New York (en couleurs) *frontispice*

FACSIMILÉ DE LA LETTRE 34 *en face de la page* *64*

PORTRAIT DE VOLTAIRE ET DE MADAME DENIS, pastel de Nicolas Cochin, collection de la New-York Historical Society (en couleurs) *en face de la page* *112*

FACSIMILÉ DE LA LETTRE 119 *en face de la page* *160*

NOTES PRELIMINAIRES

Des six enfants de François Arouet (?1650-1722), conseiller du roi, receveur des épices en la Chambre des comptes, seule sa fille Catherine (?1691-1726) lui a donné une descendance, tandis qu'un de ses fils, François Marie, dit Voltaire, se contentait de jeter quelque lustre sur la famille. Catherine épousa Pierre François Mignot (?-1737), conseiller du roi, correcteur en la Chambre des comptes, et eut quatre enfants, dont Marie Louise (1712-1790) et Marie Elisabeth (1724-1771). La seconde épousa d'abord, en 1738, Nicolas Joseph de Dompierre de Fontaine, mort en 1756, puis en 1762, Philippe Antoine de Claris, marquis de Florian. Quant à l'aînée, elle devint la célèbre mme Denis, qui nous occupe ici.

Sa sœur Catherine étant morte pendant le séjour du philosophe en Angleterre, Voltaire n'a pu former avec les orphelins les liens intimes qu'il eût certainement noués s'il avait été sur les lieux à cette époque, lui qui se faisait une si haute idée de la valeur humaine et sociale de la famille. Ce qui est sûr, c'est qu'il n'a pas négligé ses nièces. Cela ressort clairement par exemple d'une lettre de février 1737 (Best.1222), écrite de Leyde au très aimé, quoique indigne Thieriot: 'Je suis enchanté que ma nièce lise Loke. Je suis comme un vieux bon homme de père qui pleure de joye de ce que ses enfants se tournent en bien. Dieu soit béni de ce que je fais des prosélites dans ma famille'. Cette nièce qui lisait Locke, ou, oserons-nous le dire, qui faisait semblant de le lire, c'était l'aînée, Marie Louise. Il semble bien que déjà il lui donnait la préférence.

Quoi qu'il en soit, dès la mort de son beau-frère, en octobre 1737, Voltaire se chargea en grande partie de la protection et de l'avenir de ses nièces orphelines. Mais de nouveau il est surtout question de Marie Louise, élève de Rameau, 'et qui a l'esprit aimable' (Best.1320), 'un esprit plein d'agrémens dans une vraye tête de philosophe' selon son cousin de Montigny (Best.1382). Il invite les deux sœurs, qui habitaient chez leur tante, mme Paignon (Voltaire écrit aussi Pagnon), rue des Deux Boules à Paris, à venir passer quelque temps à Cirey; mais mme Du Châtelet fait semblant de croire qu'il ne désire recevoir que l'aînée (Best.1350), qu'il propose de marier au fils d'une voisine (Best.1333, 1345), avec 8000 livres de rentes (Best.1351). Or, Marie Louise ne veut pas de ce parti et Voltaire, loin de se fâcher, lui envoie des cadeaux (Best.1353, 1356, 1482) et lui fait dire par Thieriot: 'J'ay tout rompu dès que j'ai sçu qu'elle faisoit la moindre difficulté. Assurez la de ma tendre amitié, dans les termes les plus forts' — bien rares étaient dans ce siècle les parents si compréhensifs, si tolérants!

Les deux sœurs vinrent donc à Cirey dans une berline fournie par Voltaire (Best.1370), et bientôt, c'est le mariage de la cadette (Best.1385). Quant à l'aînée, elle refuse une autre alliance proposée par son oncle bien qu'il offre d'augmenter de moitié les 60.000 francs qu'elle doit apporter en dot à son mari (Best.1386), soit à peu près ce qu'il a fait pour la cadette. Marie Louise, en effet, s'est éprise de Nicolas Charles Denis, conseiller du roi et commissaire des guerres, et l'épouse en un clin d'œil le 25 février 1738. Seule remarque de notre étonnant philosophe: 'Je pourais me plaindre que La Mignot ait préféré l'abominable séjour de Landau à notre vallée de Tempé mais vous savez que je veux qu'elle soit heureuse à sa façon et non à la mienne' (Best.1400).

En avril, les jeunes époux vinrent à Cirey, et tout le monde a été extrêmement content — dit Voltaire (Best.1420). Ce n'est pas tout à fait l'avis de mme Denis, qui trouve son oncle 'lié de façon qu'il me parois presqu'impossible qu'il puisse briser ses chaînes'. Pourquoi aurait-elle voulu qu'il les brisât? La jeune mariée ne pouvait certainement pas être jalouse. Etait-ce parce que Voltaire dépensait beaucoup d'argent à Cirey et se montrait encore plus généreux pour mme Du Châtelet que pour sa propre nièce? Cette dernière désapprouve aussi la retraite choisie par son oncle. Elle trouve le célèbre couple dans une solitude effrayante pour l'humanité: 'Voilà la vie que maine le plus grand génie de notre siècle'. A la vérité Emilie déploie tout l'art imaginable pour séduire son ami, ce qui n'empêche pas celui-ci d'aimer aussi tendrement monsieur Denis et son épouse, qui, elle, ne changerait pas son sort pour une couronne (Best.1435).

Cependant, dès la fin de 1739, certains aspects du caractère de mme Denis commencent à se préciser. Le 9 janvier 1740 (Best. 2020) Voltaire discute de son testament avec son homme d'affaires, l'abbé Moussinot; 'madame Denis s'avance trop', lui dit-il, 'quand elle dit qu'elle me laisseroit maîtresse de tout'. La grammaire laisse à désirer, mais l'erreur est symbolique, et son sens refoulé n'est que trop clair. Elle démontre également que Voltaire se faisait déjà une idée bien précise de la cupidité de sa nièce, et c'est pourquoi on n'a jamais bien compris comment, dans ces conditions, Voltaire avait pu se résoudre à transférer à mme Denis, petit à petit, une grande partie de sa fortune. Nous le savons aujourd'hui, et l'explication ne pourrait guère être plus simple: il l'aimait.

Pendant quelques années les relations restent cependant des plus amicales, et rien de plus. Les cadeaux, les dons en espèces continuent (Best.1750, 1877, 2259, 2317), Voltaire fait des efforts pour l'avancement de monsieur Denis, jusqu'à écrire au cardinal de Fleury avec beaucoup d'insistance (Best.2370). Le 3 novembre 1742 il se plaint (Best.2507) de ce que les 'maudits houzards ont pris tout le petit équipage de mon pauvre neveu Denis, qui se tue le corps et l'âme en Boheme, et qui est malade à force de bien servir. Pour surcroît de disgrâce on luy a saisi icy deux beaux chevaux qu'il envoioit à sa femme et je n'ay jamais pu les retirer des mains des commis. . . .' En avril 1741 Voltaire et mme Du Châtelet avaient fait le voyage de Lille (Best.2314) où Denis se trouvait en fonction — visite faite, surtout, il est vrai, pour assister à la première de *Mahomet*; mais en novembre 1743, nouveau voyage (Best.2684-2690), parfaitement désintéressé celui-là.

Mais voici qu'en mai 1744, le pauvre Denis meurt. Voltaire le pleure très sincèrement et plaint sa nièce qui, dit-il, 'a fait une perte unique' (Best.2775). Or, c'est le moment précis où les ardeurs amoureuses de Voltaire et d'Emilie commencent à se calmer, et la première fois que l'oncle et la nièce se retrouvent, ils se jettent dans les bras l'un de l'autre: l'affection familiale fait place à l'amour pur et simple. La suite, le lecteur l'a devant lui.

Ce n'est pas là néanmoins tout ce qu'il y a à puiser dans ces lettres si heureusement retrouvées après deux siècles. En effet, les années 1744-1750 constituent une des époques les plus curieuses sinon les plus caractéristiques de la vie de Voltaire. Par ses efforts diplomatiques auprès de Frédéric, qu'aucun succès ne vint pourtant couronner, il conquiert la faveur de la Cour de France, et aussitôt les honneurs et les bénéfices se mettent à pleuvoir sur cet homme si célèbre dans toute l'Europe pour des motifs infiniment plus valables. Mais ce qu'on lui demande, c'est *La Princesse de Navarre*, un divertissement pour le mariage du dauphin. Non sans ironie, il y ajoute *Le Temple de la gloire* et des odes patriotiques. Et voilà Louis XV, qui le déteste, convaincu que Voltaire est un grand écrivain. Il est nommé historiographe et gentilhomme de la chambre; puis c'est enfin l'Académie, sans parler de nombreuses académies de province et de l'étranger, y compris les sociétés royales de Londres et d'Edimbourg, l'Arcadia, la Crusca, les Apatisti, les Intronati qui sollicitent l'honneur de le recevoir.

Qu'en pensait Voltaire? On pouvait déjà le deviner:

> Mon Henri IV et ma *Zaïre*,
> Et mon Américaine *Alzire*
> Ne m'ont valu jamais un seul regard du roi,
> J'avais mille ennemis avec très peu de gloire:
> Les honneurs et les biens pleuvent enfin sur moi
> Pour une farce de la foire.

Mais on ignorait à quel point le grand homme méprisait la Cour et toute son ambiance. Là-dessus, comme sur tous les autres événements de ces années, les lettres à mme Denis contiennent des renseignements précieux. Elles débordent tout spécialement d'amertume et d'allusions sarcastiques au roi et à son entourage.

Puis c'est la cour de Lorraine, la triste mort de mme Du Châtelet et le départ funeste pour la Prusse. Ces années ont également vu la naissance de *Sémiramis*, de *Rome sauvée* et d'autres pièces parmi les meilleures de Voltaire — et avant tout, sans que rien le laisse prévoir et sans qu'il y fasse la moindre allusion, c'est la création du conte philosophique français: à cette époque en effet, Voltaire écrit *Memnon*, première rédaction de *Zadig*.

Que Voltaire ait aimé sa nièce sincèrement, tendrement, passionnément, et même aveuglément, impossible d'en douter. Cet amour ne s'est jamais démenti, nous en avons les preuves, même après que mme Denis se fût rendue coupable des pires tracasseries envers son oncle. Quant à elle, a-t-elle jamais aimé Voltaire? Tous les doutes sont permis. N'a-t-elle pas refusé de le suivre en Prusse pour ne le rejoindre qu'à Francfort sur le chemin du retour? N'a-t-elle pas donné la préférence à ses autres amants, Baculard d'Arnaud, Marmontel, Ximénès? Pourtant ce que Voltaire a essuyé à Francfort par la vengeance insensée de Frédéric, joint à la présence retrouvée de mme Denis, lui a fait oublier cette charmante comtesse Bentinck avec laquelle il s'était lié à Berlin et à Potsdam. L'oncle et la nièce, enfermés ensemble dans une auberge, ont renoué là leurs amours, de sorte qu'il arrivait du courrier adressé à mme de Voltaire. Mme Denis est même devenue enceinte de Voltaire — ou a fait semblant de l'être. Puis, dès que Voltaire eût trouvé une demeure indépendante, à Prangins (sur les bords du Léman), mme Denis l'a rejoint[1], et ce couple si mal assorti ne s'est plus séparé, sauf pendant quelques mois après une incartade de mme Denis, vol et vente d'un manuscrit. Elle ne s'est certes pas privée d'amants, mais si elle a refusé toutes les offres d'alliance pour rester auprès de Voltaire, c'est à coup sûr plus par intérêt que par amour. Ses agissements après la mort du grand homme ne laissent guère subsister de doute à ce sujet. Il semble d'après une des

[1] pour l'époque intermédiaire, c'est à dire entre l'épisode de Francfort en 1753 et l'arrivée à Prangins deux ans plus tard, nous avons les *Lettres d'Alsace* écrites par Voltaire à sa nièce; on ne peut que déplorer que leur éditeur, le regretté Georges Jean Aubry, n'ait pas indiqué ses sources, et qu'il ne se soit même pas aperçu de ce qui constitue le plus grand intérêt de ces lettres: le fait qu'elles sont remplies d'allusions chiffrées. Nous les avons élucidées dans notre édition de la correspondance de Voltaire.

lettres que nous donnons que mme Denis ait voulu épouser son oncle: inutile de souligner que cela n'infirme pas notre conclusion.

Par son testament, Voltaire avait créé mme Denis sa légataire universelle. A peine était-il mort, que sa nièce vendait sa bibliothèque et ses papiers à Catherine II de Russie. Ils sont conservés aujourd'hui à la Bibliothèque Saltykov-Chtchédrine à Leningrad. Du moins a-t-elle eu le bon goût de se réserver un certain nombre de documents d'un caractère familial et personnel. A sa mort en 1790, ces papiers ont passé à son neveu et héritier universel, le président Alexandre Marie François de Paule de Dompierre d'Hornoy (1742-1828). Du président ils passèrent successivement à son fils Victor et à son petit-fils Albéric de Dompierre d'Hornoy. Ce dernier eut deux filles, dont une se fit religieuse; l'autre, Léonie, épousa Ambroise de Glos. De leur fils Gaston et de sa femme, née Moral, naquit en 1915 Guy de Glos, qui constitue la septième génération après Voltaire. M. de Glos est le propriétaire actuel du château d'Hornoy, construit par le président, dont le nom est perpétué par la descendance du frère cadet d'Albéric, le comte Albert (1816-1901), amiral et ministre; son fils aîné, Charles (1861-1944), officier de marine, eut une nombreuse famille, dont Henry (né en 1896), officier de marine, et Albert (né en 1901), qui a deux fils et deux filles. Notons que parmi la descendance d'un autre frère d'Albéric se trouve le père Pierre Teilhard de Chardin, S. J.[1]

Mais revenons au château d'Hornoy, près d'Amiens. C'est là que furent conservés jusque vers 1935 les papiers de mme Denis. Vendus à cette époque ils restèrent cachés jusqu'au commencement de 1957, où ils furent achetés par un marchand d'autographes, et entrèrent ainsi dans le commerce. Ce n'est que grâce à de grands efforts qu'au moins la partie essentielle des lettres de Voltaire à mme Denis a pu être préservée d'une dispersion funeste.

Ces lettres composaient deux dossiers, dont les chemises portent, de la main de mme Denis, les légendes, assez inexactes:

[1] nous tenons à remercier le comte Henry de Dompierre d'Hornoy qui nous a fort aimablement fourni une grande partie de ces détails généalogiques.

'lettre de Mr de Voltaire / à Mme Denis sa niese / 1745-46-47-48-49' et 'lettre italienes de M^r de / Voltaire à Mme Denis / 1745, 46, 47, 48, 49' — en réalité les lettres vont de 1742 à 1750. Une main du 19e siècle a inscrit sur la première de ces chemises: 'Liasse (5) (83 lettres)' et sur l'autre 'Liasse (4) (67) L^{tres}'. Le temps, heureusement, n'a pas trop amenuisé ces dossiers, de sorte que quand ils ont passé entre nos mains, ils contenaient encore 142 lettres sur 150, y compris celles qui risquaient le plus d'attiser la convoitise des curieux.

En publiant aujourd'hui cette précieuse trouvaille, nous avons ajouté, pour parachever le tableau, les quelques lettres déjà connues de Voltaire écrites à sa nièce à la même époque, c'est à dire jusqu'au moment où Voltaire quitta Paris pour n'y plus revenir qu'aux derniers mois de sa vie. Ces épîtres, au nombre de quatorze, complètent donc les 142 entièrement inédites. Une de ces lettres (no.1) est reproduite d'après une transcription ancienne que possède l'Institut et Musée Voltaire aux Délices. Douze autres (les 106, 132, 141, 143-149, 156) ont été relevées sur les manuscrits originaux que possède la Heineman foundation à New York, que nous tenons à remercier très cordialement d'avoir bien voulu nous les communiquer. Pour les seules lettres 13 et 142 nous n'avons pas de source manuscrite.

Mais c'est à la Pierpont Morgan Library à New York, dont les collections princières renferment actuellement tous les inédits, que nous devons notre plus chaleureuse reconnaissance. Avec une rare compréhension, cette bibliothèque, généreusement secondée par ses Fellows, a d'abord fait l'acquisition des manuscrits à notre suggestion (nous n'avons pas pu trouver d'acquéreur en France), et ensuite nous a donné la permission de les publier. Nous nous permettons de joindre au nom de la Pierpont Morgan Library ceux des membres de son comité et celui de son directeur, Frederick B. Adams, Jr.

Toutes ces lettres sont de la main de Voltaire, à l'exception du no.3 qui ne l'est qu'en partie, et du no.1, la seule dont nous ne possédons pas l'original. L'orthographe et la disposition des manuscrits ont été scrupuleusement respectées, à part l'insertion d'accents quand ils manquent, et du minimum indispensable de ponctuation et de majuscules, luxe que Voltaire n'a souvent pas trouvé nécessaire. Tout ce qui est en langue étrangère a été reproduit intégralement, ainsi que les noms propres. L'emploi du ſ, et du v pour u, ainsi que de l'u pour v, a été normalisé partout.

Les lettres de Voltaire portent rarement une date bien complète, et très souvent n'en portent aucune. Parmi les 142 lettres inédites que nous présentons il n'y en a que trois qui soient complètement datées (dont une par un secrétaire) et vingt-trois partiellement, c'est à dire par un mois et un jour; toutes les autres ne portent aucune indication de date ou bien simplement le nom d'un jour, tel 'ce mercredi'. A première vue, cette embarrassante lacune semble avoir été en partie comblée par mme Denis, qui a inscrit un millésime, et quelquefois une date exacte sur une partie importante des manuscrits. Hélas, ces dates, sans doute ajoutées beaucoup plus tard, n'ont fait qu'augmenter nos difficultés, étant très souvent fausses, même les plus circonstanciées d'entre elles. C'est ainsi que telle lettre que mme Denis a datée du 2 septembre 1743 est en réalité de mi-février 1742, et que telle autre, datée du 12 octobre 1745, ne peut être que du 7 décembre 1747 (comment expliquer des erreurs aussi pédantesques?) — sans parler de simples lapsus, tel 1738 pour 1748. Dater cette correspondance a donc été aussi délicat que difficile, car ce n'est pas à la légère qu'on corrige une date portée sur une lettre par son destinataire. C'est pourquoi nous nous sommes efforcé d'expliquer dans chaque cas le raisonnement qui nous a amené à fixer les dates que nous avons portées sur les lettres. Nous sommes en effet parvenu à situer assez exactement toutes les lettres: il ne pouvait évidemment en être question pour les petits billets. Les dates, même fausses, écrites sur les manuscrits par mme Denis ont néanmoins été reproduites entre parenthèses; les nôtres sont imprimées entre crochets.

Pour dater et annoter ces lettres, nous avons largement utilisé les données de notre édition de la correspondance de Voltaire (*Voltaire's Correspondence*, publiée par l'Institut et Musée Voltaire,

Les Délices, Genève). Vingt-neuf volumes ont actuellement paru de cette édition, comportant 6201 lettres des années 1704-1756. Les lettres de cette édition sont citées ainsi: Best.1234.

Voltaire avait une connaissance des langues étrangères fort rare en France à l'époque, et même depuis. On connaît de lui un nombre étonnant de lettres en anglais, en italien, en latin, et même des phrases en espagnol et en allemand. Mais ce sont des lettres isolées, bien que relativement nombreuses en anglais quand Voltaire habitait l'Angleterre en 1726-1728, et en italien quand il devint membre en 1745-1746 de nombreuses académies italiennes — à noter qu'il n'a jamais été en Italie. C'est donc un des aspects les plus curieux de la correspondance que nous révélons aujourd'hui que la plus grande partie des lettres soient dans une langue étrangère.

La traduction de ces lettres italiennes a présenté un problème dépassant les soucis habituels d'un tel travail. En effet, Voltaire, on le verra, écrit un italien scolaire, bien que de temps en temps le grand styliste perce par un mot inattendu ou une tournure heureuse. Or les plus petits billets français sont écrits avec toute la grâce et tout l'esprit habituel au grand homme. Fallait-il essayer de traduire l'italien dans un français à la Voltaire? Même si cela se pouvait, c'eût été renoncer à toute la saveur de l'original. Pourtant il eût été grotesque de faire bégayer à Voltaire un français aussi naïf que son italien. Même problème pour certaines expressions, tel le 'cara' que Voltaire emploie habituellement en s'adressant à sa nièce en italien. Il est rare qu'il emploie pareil mot en français, où l'on trouve plutôt 'ma chère enfant'. Nous nous sommes donc cru autorisé à adopter le plus souvent cette formule, qui traduit la pensée plutôt que le langage de Voltaire. Pour le reste, nous avons essayé d'employer autant que possible le vocabulaire de Voltaire dans un style simple et direct. Dans ce travail, peut-être osé de la part d'un Anglais, Georgette Bernand, Jean-Daniel Candaux et Alain Dufour nous ont été d'un précieux appui.

Th. B.

1

[Bruxelles, vers le 15 mars 1740]

Les tracasseries viennent donc, ma chère enfant, jusque dans ma retraite, et prennent leur grand tour par Berlin. Je vois très clairement que quelque bonne âme a voulu me nuire à la fois dans l'esprit du prince royal de Prusse, et dans celui de m. de Valori; et il y a quelque apparence qu'une certaine personne qui avait voulu desservir m. de Valori à la cour de Berlin, a semé encore ce petit grain de zizanie.

Je connais m. de Valori en général, par l'estime publique qu'il s'est acquise, et plus particulièrement par le cas infini qu'en fait m. d'Argenson, qui m'avait même flatté que j'aurais une nouvelle protection, dans m. de Valori, auprès du prince royal.

J'avais eu l'honneur d'écrire plusieurs fois à ce prince que m. de Valori augmenterait le goût que son altesse a pour les Français, et que j'espérais que ce serait pour moi un nouveau moyen de me conserver dans ses bonnes grâces. Je me flatte encore que le petit malentendu qu'on a fait naître ne détruira pas mes espérances.

Il est tout naturel que m. de Valori, ayant vu, dans les gazetins infidèles dont l'Europe est inondée, une fausse nouvelle sur mon compte, l'ait crue comme les autres; qu'on en ait dit un petit mot en passant à la cour de Prusse, et que quelqu'un, à qui cela est revenu à Paris, en ait fait un commentaire.

Il ne résultera de cette petite malice, qu'on a voulu faire à m. de Valori, rien autre chose que des assurances de la plus respectueuse estime, que je vous prie de faire passer à m. de Valori, par le canal de monsieur son frère. Si tous les tracassiers de Paris étaient ainsi payés de leurs peines, le nombre en serait moins grand.

Ce fragment de lettre nous a été conservé par Voltaire lui-même, qui le cite dans sa lettre du 30 mars au marquis d'Argenson (Best.2064). Elle est donnée ici d'après la transcription (Institut et Musée Voltaire, Les Délices, Th.B.BK128) faite pour l'édition de Kehl.

On a voulu faire croire que Voltaire avait écrit au prince royal pour l'influencer contre le nouvel ambassadeur de France, le futur marquis de Valory. En vérité c'est Frédéric qui méprisait Valory, et ce dernier qui intriguait contre Voltaire. Dès le 3 février (Best.2037) Frédéric avait écrit à Voltaire: 'Valori dit qu'on Vous a Exilé de France, come perturbateur de La Religion Catolique, et j'ai dit qu'il en avoit menti'. Cette tracasserie était d'autant plus dangereuse qu'on savait fatale la maladie du père de Frédéric.

2

(ce 2 7bre 1743) [mi-février 1742]

Je suis arrivé il y a cinq jours, j'ay été malade, m^r De Breteuil[1] n'étoit point à Paris ma chère nièce et pour comble d'inconvénients l'abbé Moussinot[2] ne m'a remis qu'aujourduy votre lettre, et celle que vous écriv[i]ez du 22 janvier à madame du Chastellet. La première chose que j'ay faitte en arrivant c'est de faire prier notre gentil Bernard[3] de passer chez moy. Il m'a mis au fait, il m'a dit que vos[4] apointements étoient payez. J'eusse aimé mieux qu'ils ne l'eussent pas été, et qu'on les eût réservez pour les transformer en apointements de commissaire ordonnateur. Mais rien n'est gâté encor. Je parleray, je feray parler, je présenterai des placets, je consulterai m^r le maréchal de Coigni, je feray demander une petite audiance à M. le cardinal[5], je prendray le moment favorable. Ne soyez point inquiète. Si l'affaire est possible, je vous réponds qu'elle le sera. La plus part des affaires ne manquent que faute de zèle. Je vous rendrai un compte exact de touttes mes démarches. Vous me faites souhaiter ma chère enfant d'avoir de la faveur dans ce monde, vous me rendriez presque ambitieux pour vous rendre service. Mais si je réussis mon ambition sera bien satisfaitte. Madame du Chastelet ne vous sera pas inutile. Enfin il faudra que la chose soit infaisable ou que nous en venions à bout. J'ay vu l'ambassadeur turc[6], j'ay dîné avec luy, il me parait que c'est un homme plus franc et plus rond que nos ministres crétiens. Je ne suis point pressé de faire jouer Mahomet, je ne suis pressé que de votre affaire, mais encor une fois songez que la patience doit être la vertu de quiconque attend des grâces de la cour, et même de quiconque attend justice. Mille tendres amitiez je vous en prie à monsieur et m^e de Fontaines[7].

V.

Mme Denis a daté cette lettre 'ce 2 7bre 1743': c'est fort précis, mais c'est faux, puisque Voltaire était alors auprès du roi de Prusse et que ni m. de Breteuil ni le cardinal n'étaient encore en vie. Voltaire venait de recevoir une lettre du 22 janvier en arrivant à Paris, et il n'était pas pressé de faire jouer *Mahomet*: la lettre est donc de mi-février 1742, époque à laquelle Voltaire arriva à Paris de Cirey pour le carême et pour préparer la représentation de *Mahomet*, le 19 août 1742.

[1] François Victor Le Tonnelier de Breteuil, marquis de Fontenay-Trésigny, ministre de la guerre, mort le 7 janvier 1743.
[2] Bonaventure Moussinot, homme d'affaires de Voltaire.
[3] le poète Pierre Joseph Bernard, protégé de Voltaire.
[4] c'est à dire, ceux de son mari Nicolas Charles Denis, qui sollicitait en même temps un avancement.
[5] André Hercule de Fleury, premier ministre, mort le 29 janvier 1743.
[6] Mehmed Sa'id Pasha; on prétextait contre *Mahomet* que cette pièce offenserait la Porte.
[7] la nièce cadette de Voltaire, Marie Elisabeth, avait épousé Nicolas Joseph dé Dompierre de Fontaine.

3

à Paris ce 14 mars 1744

Il y a trois mois ma chère Nièce qu'on me fait coucher à quatre heures du matin. Je me relève fort tard et fort malade. Je cours dans Paris soit pour affaires soit pour cette Merope[1] qui n'a pas Laissé d'estre pour moy une Nouvelle source de fatigue. Je me trouve Je ne sçay Comment surchargé de travail au sein de L'oisiveté, et en Courant après Le fantôme du plaisir La réalité m'Echape. Je dis tous les soirs j'Ecriray demain à ma Nièce et le lendemain Je me Couche avec des remords de N'avoir point Ecrit.

Toujours malade, et toujours occupé de rien, fort honteux et fort fatigué de ma vie je vous Ecris àprésent en me razant et En dictant ma lettre avec une collique horrible, une médecine dans Le Corps et Cent sotises dans La tête.

J'ay pourtant écris assés régulièrement quand vous aviés une petite affaire qui me subjuguoit et qui triomphoit de ma paresse. Après cela je suis retombé dans mon péché et je suis devenus aussy paresseux que mad^e^ de Fontaine vôtre sœur. Faites un peu ma paix avec monsieur Denis ma chère Nièce, et dites luy bien que L'exès de paresse où je suis tombé ne dérobera jamais rien à ma tendre amitié et à mon zèle pour son service. La place de m^r^ de s^t^ Martin me paroit si sûre que je crois qu'il faut vous En faire compliment d'avance. Je n'ay point Encore vû m^r^ de Séchelle[2], mais J'yray demain le voir à Versailles si je me porte bien.

Je vais tâcher de vous Envoyer par la poste avec La permission des fermiers généraux, deux Exemplaires de Merope. Vous me faittes une vraye peine ma chère Nièce, en ne vous faisant point rembourser un balot de Livres que je vous addressay Il y a quelques mois et vous me génés d'autant plus que J'ay pris Encor La liberté d'ordonner depuis peu qu'on vous En adressa un autre d'Amsterdam. Vous ne voulés donc pas Etre mon Entrepos? Je vous demande En grâce très sérieusement, de m'Envoyer Le

Compte de ce que je vous devray car Enfin il ne faut pas voler sa nièce. Je ne vous parle point des nouvelles publiques, tout le monde En est Egalement instruit, mais je vous prie de m'en dire de vous et de m^{r} Denis. Elles me sont beaucoup plus chères.

Pardon ma chère nièce, je suis malade, je ne sçai ce que je fais ny ce que je dicte. Je vous embrasse tendrement.

V.

J'ay dicté ce chifon dans mon lit à un domestique qui écrit fort mal.

Le dernier alinéa ainsi que le post-scriptum sont de la main de Voltaire.

[1] représentée pour la première fois le 20 février 1743, reprise le 3 février 1744, *Mérope* venait d'être imprimée malgré le refus du chancelier d'accorder un privilège.

[2] Jean Moreau de Séchelles, nommé intendant de la Flandre.

4

ce 7 avril 1744

Je pars pour Cirey ma chère nièce avec la douleur d'être encor plus loin de vous, et moins à portée de recevoir vos lettres. Mais cette douleur est bien plus vive par l'incertitude où vous me mettez sur la santé de monsieur Denis. Pourquoy faut il que j'aille à Cirey aulieu de venir vous consoler à Lile et partager vos soins? Vous savez qu'après vous je me vante d'être la personne de ce monde qui aime le mieux m^r Denis. Ainsi jugez de mon cœur par le vôtre. Il aura besoin d'une bonne santé cette campagne. Je soupçonne que son mérite luy attirera de nouvelles occupations. Ce n'est pas ma faute si m^r de s^t Martin ne luy a pas encor fait place. J'ay vu m^r de la Porte[1], il est comme moy, fort fâché d'être loin de vous. Mais en me ressemblant il ne m'égale pas, et je n'ay pas besoin d'être votre oncle pour l'emporter sur luy en sentiments, qui vous regardent.

Votre sœur vous donne toujours des exemples que vous ne suivez point. Elle est grosse. Vos partages sont un peu différens; c'est vous qui avez le plaisir, et c'est elle qui acouche. Je vais de mon côté acoucher d'un divertissement[2] dont je suis chargé pour les noces de madame la dauphine, mais je n'acoucheray pas du moindre fœtus que vous ne m'ayez mandé que Mr Denis est en bonne santé. Il faut que le cœur soit content pour que le génie travaille à son aise. Madame du Chastellet vous fait mille compliments. J'embrasse m^r et m^e Denis du meilleur de mon âme. Bonjour et adieu ma chère nièce, je pars.

V.

[1] il devait, plus tard, aimer mme Denis, sans pourtant vouloir l'épouser.
[2] *La Princesse de Navarre*, donnée à Versailles le 23 février 1745, avec une musique de Rameau.

5

Je reçois ma chère nièce votre lettre du io. J'écris sur le champ à monsieur Dargenson afin que l'extrême onction de M^{r} de s^{t} Martin soit suivie immédiatement de la confirmation de ce qu'on avoit promis à votre aimable mary. Je crois que ce petit billet ne le trouvera plus à Lile. Vous me trouverez toujours prest à exécuter vos ordres, et pénétré pour vous et pour monsieur Denis de la plus tendre amitié. Vous savez si je ne m'intéresse pas à vous comme vous même. Je retourne demain à Paris, vous y aurez un commissaire bien fidèle. Je vous embrasse tendrement. Mandez moy où est m^{r} Denis, et ce qu'il faut faire. Bon soir.

V.

ce 14 avril (1744) à Champ

adressée à madame / madame Denis / à Lille /

Mme Denis a daté cette lettre 1743 et puis, deux fois, 1744; ce dernier millésime est en effet indiqué, mais alors Voltaire s'est trompé de jour, ou bien ici ou bien dans la lettre Best.2755 au marquis d'Argenson, datée de Cirey, ce 15 d'avril; on sait d'après la lettre précédente et d'après une autre adressée à Amelot de Chaillou (Best.2752) que Voltaire était à Paris le 7, et d'après celle qui suit ici, et encore une autre (Best.2757) qu'il était à Cirey en tout cas le 18.

6

à Cirey par Bar sur Aube
ce 18 avril (1744)

Ma chère nièce je vous écris en mouillant le papier de mes larmes; si ma déplorable santé le permettoit, et si je pouvois sur le champ partir en poste, je viendrois assurément pleurer avec vous. Desaunets[1] étoit icy avec monsieur le marquis du Chastellet quand nous avons reçu cette nouvelle accablante[2]. Le pauvre garçon est aussi affligé que moy; il ne peut aller vous trouver parce qu'il est obligé d'aller à Nevers se faire recevoir dans son régiment qui a changé de colonel. Ce n'est plus mr le duc de Nivernois[3], c'est le marquis de Castres[4] qui a le régiment de Limousin. Que ne pui-je venir avec luy, vous consoler, vous servir, vous montrer toutte l'amitié que j'ay pour vous, mais qui n'est qu'une bien faible consolation dans un malheur si grand, et si inattendu. Ma chère enfant voylà de ces cruelles occasions où on a besoin de tout son courage, mais que ce courage est encor peu de chose! que je vous plains, que je partage touttes vos douleurs, et que je crains pour votre santé! Ménagez la du moins, conservez moy ma consolation. Songez à vos affaires, songez à vivre. Ecrivez moy je vous en conjure, ce que vous devenez, et quel party vous prenez. Votre beaufrère[5] est il auprès de vous? Quittez au plutôt Lile. Qu'y feriez vous que de vous consumer de douleur? Allez vivre à Paris où je compte vous embrasser au mois d'octobre. C'est un de mes malheurs de ne pas passer avec vous tout le reste des jours de ma vie. Mais je veux vous voir autant que je le pouroy. Je veux savoir absolument tout ce que vous ferez, donnez ce soulagement à votre affliction et à la mienne. Vous avez heureusement un baufrère honnête homme qui n'ajoutera pas à la douleur de votre perte celles qu'on essuye dans des discussions de partage. Vous avez apparemment un douaire honnête, des reprises. Ce n'est pas assurément ce qui vous occupe, mais c'est à quoy il faut vous efforcer de penser. Monsieur et madame du Chastellet prennent bien de la part à votre malheur. Ils me chargent de vous en assurer. Desaunais vous écrit. Adieu, du courage, de la filosofie. La vie est un songe et un songe triste, mais vivez pour vos amis et pour moy qui vous aime tendrement.

V.

[1] surnom de Vincent Mignot, frère de mme Denis, né en 1728; ce n'est que plus tard qu'il se fit conseiller au grand conseil, et abbé.

[2] la mort de son mari.

[3] Louis Jules Barbon Mancini-Mazarini, duc de Nivernais.

[4] Charles Gabriel de La Croix, marquis de Castries.

[5] Nicolas François Denis, conseiller du roi.

7

à Cirey ce 24 avril (1744)
par Bar sur Aube
c'est ainsi qu'il faut m'écrire

Votre frère étoit party de Cirey, ma chère enfant, quand votre lettre du 17 avril m'est parvenue. Je luy avois déjà parlé de la charge de commissaire des guerres[1] mais soit qu'il craignit que sa grande jeunesse ne fût un obstacle soit qu'il fût enivré du plaisir d'être lieutenant d'infanterie, il partit pour aller se faire recevoir à la Charité où est son régiment le quel n'apartient plus à m. le duc de Nivernois et est à m. le marquis de Castres; de la Charité il compte aller trouver m. du Chastellet sur le Rhin et servir sous luy en qualité d'aide de camp. Cependant Mr de Montigni[2] m'écrit qu'il luy conseille de prendre la charge de correcteur des comptes[3]; je prends le party de luy écrire à la Charité, et de luy présenter ces deux partis. Celuy de commissaire des guerres me paroît plus convenable, surtout après l'offre des bontez de Mr de Sechelles. Je pense aussi que ce seroit un arrangement plus désirable pour vous. J'auray sa réponse incessamment, et je ne doute pas qu'il ne vous instruise de sa résolution, s'il en a une.

Cependant ma chère nièce quittez au plus vite une ville où tout doit augmenter votre douleur en vous retraçant votre perte. Allez à Paris vous loger chez votre sœur en attendant que vous puissiez vous arranger pour mener une vie commode et selon votre goust. Plût à dieu que nous pussions loger ensemble. Ce seroit la consolation de ma vie, et je tâcherois d'en faire la vôtre. Je vous embrasse bien tendrement ma chère nièce. Si mr de Sechelles est à Lile, je vous prie de luy dire combien je luy suis attaché.

adressée à Madame / madame Denis / à Lille en Flandre /; *estampillée* B. AUBE.

[1] qu'avait possédée son beau-frère Denis.

[2] Etienne Mignot de Montigny, de l'Académie des sciences, fils de Jean François Mignot de Montigny, le frère de Pierre François Mignot, père de mme Denis.

[3] le frère aîné de mme Denis avait déjà été reçu correcteur des comptes en 1737.

8

ce 14 may (1744) à Cirey

J'ay reçu ma chère nièce, votre lettre du 29 avril et j'ay reçu quelques jours après la dernière résolution de Desaunais. Vous devez en être informée. J'ay peur que dans ses refus d'une charge de magistrature et d'une charge de commissaire des guerres il n'entre un peu de mécontentement de ce que ses parens luy ont refusé une petite avance. Ses parents la luy avoient refusée probablement pour le dégoûter du métier de lieutenant d'infanterie et ils l'ont peutêtre cabré en voulant le ramener. Pour moy qui suis de la secte des tolérans[1], je me suis contenté de luy proposer tous les partis sans vouloir fixer son choix. Enfin il reste lieutenant, et il faut que vous songiez à vendre au plutôt vos deux charges le mieux que vous pourez. Je crois que vous êtes àprésent à Paris chez votre sœur. Elle doit vous être d'une grande consolation. C'est un de mes chagrins de n'avoir pu venir vous tenir compagnie, et de ne vous pas voir à Paris dans ces premiers temps de douleur et d'inquiétude. Si vous n'alliez pas être occupée à vous arranger je vous proposerois de vous enlever et de vous faire passer un mois à Cirey dans la belle saison. Je vous parle de passer un mois auprès de vous, ma chère nièce, et je voudrois bien y passer ma vie. Il me semble qu'il est bien ridicule que je me borne à le souhaitter. Je m'imagine que nous vivrions ensemble avec douceur et que nous nous aiderions l'un l'autre à suporter les amertumes de cette vie.

Mandez moy où vous êtes, ce que vous faites, ce que vous devenez. Songez ma chère enfant à arranger votre vie pour être heureuse. Songez qu'on n'a que celà à faire dans ce monde, que le passé n'est rien, et qu'il s'agit seulement de vivre doucement aujourduy et demain. Tout le reste est illusion. Je vous embrasse tendrement, et je vous prie de m'écrire quand vous n'aurez rien à faire.

V.

adressée à madame / madame Denis /

[1] ce n'est que quinze ans plus tard que cette formule revient couramment sous la plume de Voltaire.

9

ce 13 aoust (1746) [1744] à Cirey

Ma chère nièce j'auray bientôt la consolation de vous embrasser; je quitte la tranquilité de Cirey pour le cahos de Paris[1]. Il faut absolument que je revienne préparer des fêtes, et peutêtre de l'ennuy à notre dauphine et à une cour pour la quelle je ne me sens point fait. Je me sens un peu[2] honteux à mon âge de quitter ma filosofie et ma solitude pour être baladin des rois; mais on dit qu'il y avoit presse à être revêtu de cette grande dignité, et on m'a fait l'honneur de me donner la préférence. Il faut donc la mériter, tâcher de faire rire la cour, mêler le noble au comique, intéresser des gens qui ne s'intéressent qu'à eux même, donner un spectacle où il y ait de tout, et où la musique n'étouffe point les paroles, avoir afaire à vingt comédiens, à L'opera, aux danseurs, décorateurs, et tout cela, pourquoy? pour que la dauphine me fasse en passant un signe de tête. Allons, il faut partir puisque je vous verray, et que nous nous consolerons tous deux, vous de vos pertes, et moy de la ridicule vie que je mène, toute contraire à mon humeur et à ma façon de penser. J'embrasse tendrement votre aimable sœur et son cher mary. Je ne sai mon enfant, aucune nouvelle d'aucun sousfermier, et les Montigni ne m'ont point mandé l'établissement de melle de Montigni. Tout ce que je sçay c'est que le plus riche fermier général, ne seroit pas trop bon pour elle. Encor faudroit il qu'il fût fort aimable. Elle mérite bien d'être heureuse. Elle a de l'esprit et des talens, et pense tout à fait à ma fantaisie.

En vous remerciant ma chère enfant des Mahomets. Je vous prie de dire à votre amy la Porte qu'il me les garde jusqu'à ce que je luy donne une adresse. Présentez luy bien mes remercimens. Je vous souhaitte santé et tranquilité. Adieu ma chère nièce, je me flatte du plaisir de vous embrasser tous incessament. Madame du Chastellet vous fait mille complimens.

V.

adressée à Madame / madame Denis, chez Mr de Fontaine / maitre des comptes / rue pavée derrière la place / royale, à l'hôtel d'Herbouville / quartier s^t Antoine / à Paris /; *endossée* Vuassy.

Le 1746 de mme Denis remplace un 1745; mais c'est 1744 qu'il faut.

[1] où il arriva le 31 août.
[2] mme Denis a remplacé ces mots sur le manuscrit par 'Je suis un peu'; et plus loin elle a biffé le nom de La Porte.

10

Mia carissima sono stato gravamente ammalato. Se non fosse stato per questo mal incontro, avrei gia terminato tutti gli affari che m'hanno ritenuto qui. Sono molto obligato si a la protezzione della signora di P.[1], come alla bonta es alla benignita del Re. E ne ho il testimonio nel mio carniccio. Ma questo e un gran secreto, e se fosse palesato ne perderei tutto il frutto. Vi priego dunque di non parlare a nissuno. Non ho secreto per voi, e leggerete sempre nel mio core.

Quanto a j nostri affari, voi potete dire al signor di Fontana, che non ha riempito il minimo de' promesse che mhaveva fatti. Mi dispiace molto d'avere tanti rimproveri a fare ad un uomo che ha sposata vostra sorella, e che mi resta percio un poco obligato. Non e contento d'haver rapito tutto i beni della mia famiglia, vole encora impor mi il giogo, e metter mi affatto nelle sua dependenza. Vederemo se egli riuscera a perseguitarmi, come egli ne ha la volonta. La vostra amicizia mia cara e un conforto che mi sollieva ne tanti affani; tutti i guai della vita vengono minuiti da le dolcezze del vostro commercio e da la tenerezza del vostro core. Ben vero e che j miej affari sono un tal poco disordinati adesso ma se jo vivo, siete sicura che un tempo verra, che il signor di Fontana si pentira d'aver sprezzato la mia amicizia. Voi siete tutta la mia famiglia, mia sola amica, il mio bene, e mia unica speranza.

mercoledy (1744) [1744/1745]

Ma très chère enfant j'ai été gravement malade. Si je n'avais pas été arrêté par ce contretemps j'aurais déjà terminé toutes les affaires qui m'ont retenu ici. J'ai beaucoup d'obligation tant à la protection de madame de P.[1] *qu'à la bonté et à la bienveillance du roi, et j'en ai la preuve dans mon portefeuille. Mais c'est là un grand secret, et s'il était divulgué j'en perdrais tout le fruit. Je vous prie donc de n'en parler à personne. Je n'ai pas de secret pour vous et vous lirez toujours dans mon cœur.*

Quant à nos affaires, vous pouvez dire à monsieur de Fontaine qu'il n'a pas tenu la moindre des promesses qu'il m'avait faites. Je suis très ennuyé d'avoir tant de reproches à faire à un homme qui a épousé votre sœur et qui reste par conséquent un peu mon obligé. Il n'est pas content d'avoir ravi tous les biens de ma famille, il veut encore m'imposer le joug et me mettre tout à fait dans sa dépendance. Nous verrons s'il réussira à me persécuter comme il en a l'intention. Votre amitié ma chère enfant est un réconfort qui me soulage au milieu de tant d'afflictions; tous les malheurs de la vie sont diminués par la douceur de votre commerce et la tendresse de votre cœur. Il est vrai que mes affaires sont un peu en désordre à présent mais si je vis, soyez sûre que l'heure viendra où m. de Fontaine se repentira d'avoir méprisé mon amitié. Vous êtes toute ma famille, ma seule amie, mon bien, et mon unique espérance.

mercredi

[1] mme de Pompadour.

11

domenica sera [28 mars 1745]

Carissima, chi potra mai credere, essere stati domandati sette mila et cinque cento bigliettini da Parigi pel' baletto di Rameau[1]? Questa commune premura e un solemne hommagio renduto alla virtu. Il duca Dayen[2] e costretto di dare un rifiuto alla piu gran parte, ma quando si tratta del vostro piacere bisogna che tutti gli ostacoli siano superati. Ecco dunque tre bigliettini per tre dame. Quanto allo scudiero faro tutto che sara in me per introdur lo. Ma vi fara d'uopo di venire avanti le tre 'ore. Dite al vostro cocchiero d'entrare nella ultima porta dell ultimo cortile a man destra al destro lato della capella. Poi caminando a man destra, scenderete per una piccola scala la quale vi conduce al mio stanzolino numero 144, vicino al piu puzzolente cacatoio[3] di Versailles. E per scioglier vi d'ogni impaccio avro cura che un servitore vi aspetti alla porta del cortile nel quale bisogna che il vostro cocchiero entri. Vi baccio mille volte cara anima mia. Spero di cenare con voi mercoledi. Adio, vi condurro alla sala, e procurero, se Lo posso, d'introdurre il vostro scudiero.

dimanche soir

Très chère, qui pourra jamais croire qu'on ait demandé de Paris sept mille cinq cent billets pour le ballet de Rameau[1]? Cet empressement général est un solennel hommage rendu au mérite. Le duc d'Ayen[2] est obligé d'opposer un refus à la plupart des demandes mais quand il s'agit de votre plaisir il est nécessaire que tous les obstacles soient surmontés. Voici donc trois billets pour trois dames. Quant à l'écuyer je ferai tout ce qui sera en mon pouvoir pour l'introduire. Mais il faudra venir avant trois heures. Dites à votre cocher d'entrer dans la dernière porte de la dernière cour à main droite, sur le côté droit de la chapelle. Puis continuant à main droite, vous descendrez par un petit escalier qui vous conduira à ma chambrette numéro 144, près du plus puant merdier[3] *de Versailles. Et pour vous délivrer de tout embarras j'aurai soin qu'un domestique vous attende à la porte de la cour dans laquelle il faut que votre cocher entre. Je vous embrasse mille fois, ma chère âme. J'espère dîner avec vous mercredi. Adieu, je vous conduirai dans la salle et m'arrangerai, si je le puis, pour introduire votre écuyer.*

[1] d'après ce qu'en dit Voltaire, et ce qu'on peut sous-entendre, le ballet de Rameau donné pour la première fois à Versailles ne peut être que *Platée*, ballet-bouffon sur des paroles de J. Autreau et A. J. de Valois d'Orville, joué à Versailles le 31 mars 1745, jour qui fut effectivement un mercredi.

[2] Louis de Noailles, duc d'Ayen, capitaine des gardes.

[3] Voltaire s'en plaint dans une lettre du 14 juin 1746 (Best. 3104a) à Le Normant de Tournehem.

12

ce jeudy [?1er avril] (1745)

Je comptois bien ma chère enfant vous revoir après le spectacle à Versailles. La lutinerie de la cour en ordonna tout autrement. On me dit qu'il falloit courir après le Roy à bride abatue, et se trouver à un certain moment dans un certain coin, pour le remercier, je ne sçai pas trop bien encor de quoy, car j'avois demandé plusieurs choses, et on me disoit qu'il me les avoit toutes acordées. On me présenta donc à sa très gracieuse Majesté, qui me reçut très gracieusement et que je remerciay très humblement. Mais faire signer des brevets est chose baucoup plus difficile, que de faire des remercimens. On dit à présent qu'il faut que je ne désempare pas jusqu'à ce que tout soit bien cimenté, scellé et consommé. J'aimerois mieux venir vous embrasser, et finir votre affaire avec Laporte[1] que la mienne avec le Roy. Je seray honteux d'être heureux si vous ne l'êtes pas, et quand vous voudrez je parleray à M. le contrôleur général[2] qui doit avoir quelque crédit sur les Laporte[1]. Si vous voyez madame du Pin[3] dites luy bien à quel point je luy suis dévoués. Si vous dites à votre sœur que je luy ay écrit dites luy qu'après vous c'est celle de mes nièces[4] que j'aime le mieux. Vous méritez ma chère enfant des sentiments bien distinguez et je les auray assurément pour vous toutte ma vie. Je vous embrasse avec la plus vive tendresse. V.

adressée à madame / madame Denis / à l'hôtel d'Herbouville / rue pavée / à Paris / ; *estampillée* DE VERSAILLES

En datant la lettre mme Denis a mis d'abord 1746, ensuite 1744, et enfin 1745, ce qui est exact; pour la date du 1er avril voir la note de Best.2870; le brevet d'historiographe est daté du même jour.

[1] mme Denis a deux fois biffé ce nom.
[2] Philibert Orry.
[3] Louise Marie Madeleine Dupin, femme du fermier général Claude Dupin; son salon était célèbre.
[4] inutile de souligner que Voltaire n'avait que deux nièces.

13

Le roi m'a accordé l'expectative d'une charge de gentilhomme ordinaire, la place d'historiographe de France, avec deux mille livres d'appointements et les entrées de sa chambre. Il a daigné me parler avec les bontés les plus touchantes. Il faut d'abord en faire part à sa famille; mais je suis plus pénétré de votre amitié, ma chère enfant, que de toutes les grâces de la cour. Je vais à Paris. Je compte que cette lettre sera pour m^{r} et madame de Fontaine comme pour vous, et sur ce, je prie dieu, ma chère enfant, qu'il vous ait en sa sainte et digne garde.

V.

ce samedi [3 avril 1745]

Dans les *Lettres d'Alsace* m. Aubry a daté cette lettre du 28 février 1745, date que nous avions remplacée par le 3 avril 1745 pour des motifs exposés dans la note de Best.2870; inutile de répéter cette explication puisque la lettre précédente vient maintenant confirmer notre date.

Le lecteur ne manquera pas de tirer les conclusions imposeés par la formule royale qu'emploie Voltaire pour terminer la lettre.

14

ce jeudy [avril] (1746) [1745] à Versailles

Comment vous portez vous, ma chère enfant? pourquoy n'étiez vous pas hier au ballet des grenouilles[1]? J'imagine que L'indisposition de madame Dupin m'a privé du plaisir de vous voir icy. Vous n'avez perdu que baucoup de foule, et un très mauvais ouvrage; c'est le comble de L'indécence, de L'ennuy, et de L'impertinence. Je ne parle ainsi qu'à vous. Je suis acoutumé à vous dire des choses que je ne dis point à d'autres. Le malheur de Rameau est d'être un sot gouverné par de faux connaisseurs. Voylà pour quoy, il n'a jamais fait, et ne fera jamais un bon opéra. Tous ses ouvrages sont inégaux parce qu'il est impossible que le génie se plie toujours heureusement à de mauvaises paroles, mais celuy cy n'est point inégal, et le total compose le plus détestable spectacle que j'aye jamais vu, et entendu. Je ne sçai pas encor quand je quitteray mon incommode habitation de Versailles pour mon malheureux fauxbourg. Quelque part que je sois, je me vois éloigné de vous, et j'en suis outré. Adieu, embrassez pour moy votre sœur la paresseuse; mes compliments à mr de Fontaine.

V.

adressée à madame / madame Denis / à l'hôtel d'Herbouville / rue pavée, au marais / à Paris /; *estampillée* DE VERSAILLES.

Mme Denis s'est encore trompée en datant cette lettre de 1746: nul doute qu'il soit toujours question de *Platée*.

[1] il ne faut pas voir ici l'indication d'un titre ou d'un sujet: c'est une allusion délicate à la musique.

15

à Chalons ce 20 avril (1745)

Ma chère enfant je suis icy la victime des devoirs de l'amitié, et aussi des erreurs du préjugé. Madame du Chastellet a bien fait d'aller voir son fils[1] et moy de L'acompagner. Mais on fait fort mal de nous regarder dans la ville comme des pestiférez parceque nous entrons dans une chambre, où est un malade qui a une petite galle qu'on apelle petite vérole, sans fièvre et sans le moindre danger. L'intendant de Chalons qui craint cette maladie comme une jeune femme et qui n'est pas maître de cette faiblesse ne nous voit point mais l'évêque est plus aguerri et plus hardy. Il nous a logés tout deux magnifiquement, nous fait bonne chère, nous promène. Nous avons des livres, nous vivons comme à Paris, travaillant toutte la journée, soupant trop le soir, et prenant du caffé. Madame du Chastellet est bien sensible à votre souvenir, mais je le suis je vous jure plus qu'elle; nous reviendrons après la quasimodo[2]. Paris sera désert, mais vous y serez et c'est assez pour moy. Mille tendres complimens à M. et m^e de Fontaine.

V.

Ouy Platée est un pauvre ouvrage.

adressée à madame / madame Denis / à l'hôtel d'Herbouville / rue pavée au marais / à Paris /

[1] Louis Marie Florent, le futur duc Du Châtelet, une des premières victimes de la Révolution.

[2] ce dimanche tomba en 1745 le 25 avril; Voltaire était de retour à Paris dès le 29 (Best.2880).

16

Voulez vous toutes deux venir voir le feu de la Greve? J'y mène madame la marquise de Crequi[1] qui doit connaître madame de Fontaine. Si madame de Fontaine ne peut y venir, voulez vous en être avec madame de Créqui? Je viendray vous prendre entre six et sept. Réponse sur le champ.

mercredy 8 [22 juin] (1745)

adressée à madame / madame Denis / hôtel d'Herbouville / rue pavée /

Ce petit billet n'est point commode à dater; d'après une coutume séculaire on allumait un grand feu place de Grève la veille de la Saint-Jean, soit le 23 juin; ce billet est donc du même jour, ou tout au plus du 22 au soir; or, le 22 était effectivement un mercredi, et on est donc obligé de supposer que ce 8 représente non pas le jour mais l'heure, quoiqu'il soit fort anormal de l'indiquer ainsi.

[1] Renée Caroline de Froulay, marquise de Créquy, était la cousine de mme Du Châtelet.

17

[août] (1745)

Veramente scrivete benissimo l'italiano. Anderei anche io a la comedia per essere con voi due o tre 'ore se non fossi encora ammalato, ho avuto la febre. Sono tutto stracco e debole. In verita ho granbisogno di patienza. Gia che me fate complimento dessere scoto ed inglese, sappiate che per farvi la mia corte sono encora italiano. L'academia di Bologna, la piu famosa di tutta l'Italia, m'a fatto l'honore daggregarmi per un Di loro membra. Sono di tutti i paesi, ma un poco forasterie nel mio. J miej due occhi vi ringraziano, e ben vorrebonno vedervi, ma sono languidi e gialli di duoi accessi di febre.

Bacciate dunque per me la guancia della signora de Fontaine, fa bisogno alle sue guancie come alle mie dessere un poco piu polpute. J suoi belli occhi sono piu degni d'un baccio. Dite, vi priego, al signor la Porte che mi sara sempre caro. Adio mia cara, v'amo sopra ogni cosa.

Vraiment vous écrivez très bien l'italien. J'irais moi aussi à la comédie pour être avec vous deux ou trois heures si je n'étais encore malade, j'ai eu la fièvre. Je suis tout épuisé et faible. En vérité j'ai grand besoin de patience. Puisque vous me faites compliment d'être Ecossais et Anglais sachez que pour vous faire ma cour je suis encore Italien. L'Académie de Bologne, la plus célèbre de toute l'Italie, m'a fait l'honneur de m'admettre comme l'un de ses membres. Je suis de tous les pays mais un peu étranger dans le mien. Mes deux yeux vous remercient et voudraient bien vous voir, mais ils sont affaiblis et jaunes de deux accès de fièvre.

Embrassez donc pour moi la joue de madame de Fontaine, ses joues comme les miennes ont besoin d'être un peu plus charnues. Ses beaux yeux sont plus dignes d'un baiser. Dites je vous prie à monsieur La Porte qu'il me sera toujours cher. Adieu ma chère enfant, je vous aime par-dessus tout.

adressée a la signora illus^{ma} / e padrona mia colend^{ma} / la signora Denis / nella strada lastricata[1] /

[1] c'est à dire, 'pavée'.

18

(1747) [18 août 1745]

Quel chien de démon nous fait soufrir tout deux, et nous fait soufrir éloignez l'un de l'autre? Encor faudroit il soufrir ensemble. J'ay peur d'aller demain à Etiole, mais j'iray chez vous avant de partir. Vi amero sempre o sano o ammalato.

V.

adressée à madame / madame Denis /

Malgré le millésime porté sur le manuscrit par mme Denis (elle avait d'abord écrit 1748), il est très probablement question ici de la visite faite par Voltaire auprès de mme de Pompadour en août 1745.

19

Ma chère enfant, il faut s'il vous plaît, et si vous m'aimez un peu que notre différent au sujet des diamans se partage par la moitié; vous m'avez promis les vôtres avant de les donner à madame des Forges[1]. Qu'elle prenne ceux de me Defontaines mais qu'elle me laisse ceux que vous m'avez promis. Cela est trop juste, et je vous demande avec la plus grande instance de les demander tout à l'heure à madame des Forges, faites de cette affaire là, une affaire capitale. Je vous en conjure montrez ma lettre à madame des Forges et dites luy que si je suis refusé je seray désespéré.

Je vous embrasse tendrement.

V.

ce dimanche (1746) [vers octobre 1745]

adressée à madame / madame Denis / rue pavée /

C'est d'abord 1745 que mme Denis a écrit, avant de remplacer ce millésime par 1746; or le 2 décembre 1745, nous le verrons, on avait déjà rendu les diamants à Voltaire.

[1] les Desforge étaient une famille de robe de Rouen.

20

Si, mia cara, si fara domani una rapprezentatione del balletto, e benche questo tempio della gloria[1] non sia per per vedersi tutto edificato, ma a pena sbozzato, se vuole ella colla sua sorella vedere j materiali benche informi e mal disposti, mi fara un gran piacere. Aspetto qui il duca di Richelieu che m'a promesso di venire da me, gli domandero la licenza d'introdur vi alla repetizione; e sono certo che mi la concedera. Ve ne scrivero domani, e vi mandero a che hora bisognera rendervi, da me, colla vostra sorella. La mia sanita e peggior che maï. La mia patienza e uguale a j miej dolori.

Comme il faut parler d'affaires en français, si vous voulez placer de l'argent dans l'affaire des dix milions de M. Philippe, vous ne sauriez mieux faire. C'est une ferme du roy. Votre argent vous produira dix pour cent payé tous les trois mois et vous serez maîtresse du fonds. Demandez conseil. Bon soir. Vi baccio mille volte.

venerdi [?19 novembre 1745] V.

Oui ma chère enfant il y aura demain une représentation du ballet et bien que ce Temple de la gloire[1] ne prétende pas être une construction toute achevée mais seulement ébauchée, si vous voulez venir voir avec votre sœur les matériaux tout informes et désordonnés qu'ils soient vous me ferez un grand plaisir. J'attends ici le duc de Richelieu qui m'a promis de venir me voir, je lui demanderai la permission de vous faire assister à la répétition et je suis certain qu'il me l'accordera. Je vous en écrirai demain et vous manderai l'heure à laquelle vous devrez venir chez moi avec votre sœur. Ma santé est pire que jamais. Ma patience est égale à mes souffrances.

[1] le *Temple de la gloire* fut représenté pour la première fois à Versailles le samedi 27 novembre 1745.

21

Ma chère enfant, mandez moy combien vous serez de bayeuses pour voir la seconde fête, qui sera plus belle que la première. Le roy a été très content de la première représentation et c'est luy même qui en a demandé une seconde. J'ay à tout hazard demandé cinq billets, c'est baucoup par ce qu'il y aura un rang de loges de moins. Et si vous me demandez pourquoy ce rang de moins, c'est que la salle a été changée pour le bal paré. Tout cela fait le plus beau coup d'œil que vous puissiez imaginer. Les fêtes de Louis 14 n'étoient pas si belles. Je n'ay pu revenir à Paris. J'ay donné mes soins à bien des bagatelles nécessaires. Je suis très satisfait et il ne me manque que vous. Tâchez d'amener madame de Fontaine et m[e] Dosseure. Il faudra être à Versailles à trois heures après midy samedy prochain. Vous ferez avancer votre carosse dans la cour des princes. Je vous enverray samedy matin un petit laquais gros comme le poing qui vous conduira au trou où je demeure, je vous rendray vos diamans, je vous mèneray à la salle et je vous placeray. Je vous embrasse tendrement. Bon jour.

ce jeudy matin [2 décembre] (1746) [1745]

Réponse au châtau à l'apartement de M. le duc de la Valiere.

adressée à madame / madame Denis / à l'hôtel d'Herbouville / rue pavée au marais / à Paris / en diligence / 12 s. au porteur /

Encore une fois mme Denis s'est trompée: il est question ici du *Temple de la gloire*, représenté à Versailles une deuxième fois le samedi 4 décembre.

22

giovedi [9 décembre] (1745)

Mia cara, sabbato si rappresentera qui L'opera di Blamont[1]. Se volete sentirlo, trovarete quattro bigglietini. Quando il Silpho[2] e la principessa di Navarra[3] saranno per essere rapresentate, ne ricevrete aviso, e vi aspettero. Il mio solo cordoglio viene da la vostra assenza. Vi amo teneramente e vi amo sola. Adio, vi baccio mille volte.

jeudi

Ma chère enfant, samedi on donnera ici l'opéra de Blamont[1]*. Si vous voulez l'entendre, vous trouverez quatre billets. Quand le Sylphe*[2] *et la Princesse de Navarre*[3] *devront être joués vous en serez avisée et je vous attendrai. Mon seul chagrin vient de votre absence. Je vous aime tendrement et je n'aime que vous. Adieu, je vous embrasse mille fois.*

[1] pour différentes raisons (voir par exemple plus bas la lettre du 18) il ne peut être question que de *Jupiter vainqueur des titans*, tragédie lyrique par Michel de Bonneval, musique de Colin de Blamont, représentée pour la première fois à Versailles le samedi 11 décembre 1745.

[2] c'est à dire, *Zélindor*, par 'le sylphe', Paradis de Moncrif, représenté une première fois à Versailles le 17 mars 1745.

[3] ce n'était pas la *Princesse de Navarre* proprement dite, mais la nouvelle version par Rousseau, donnée à Versailles le 22 décembre 1745.

23

(ce) [décembre] (1745)

Ecco mia cara una lettera pel signor Vallier, vi l'indirizzo perche non so dove sta di caza. Un giovane molto savio, dotto, ben costumato, e pieno d'ingegno si presenta, e si mette sotto il vostro padrocinio per essere gradito da la signora Pagnon in qualita di precettore del suo figlio. Si chiama Marmontel, e nato in Toloza. Egli havra l'honore dandare da voi, vi priego di cuore di favorir lo. Non so encora quando j miei affari mi daranno la licenza di lasciare un paese che jo abhorrisco. La corte, il mundo, i grandi, mi fanno noia. Non saro felice che quando potero vivere con voi. La vostra societa, ed una megliore sanita mi farebbero felice. Vi baccio mille volte. La mia anima baccia la vostra, mio catzo, mio cuore sono inamorati di voi. Baccio il vostro gentil culo e tutta la vostra vezzoza persona.

Voici ma chère enfant une lettre pour monsieur Vallier, je vous l'adresse parce que je ne sais pas où il habite. Un jeune homme très sage, instruit, bien élevé et plein de talent se présente et se met sous votre patronage pour être agréé de madame Pagnon en qualité de précepteur de son fils. Il s'appelle Marmontel[1]*, il est de Toulouse. Il aura l'honneur d'aller chez vous, je vous prie de tout cœur de l'aider. Je ne sais pas encore quand mes affaires me permettront de quitter un pays que j'abhorre. La cour, le monde, les grands m'ennuyent. Je ne serai heureux que quand je pourrai vivre avec vous. Votre société et une meilleure santé me rendraient heureux. Je vous embrasse mille fois. Mon âme embrasse la vôtre, mon vit et mon cœur sont amoureux de vous. J'embrasse votre gentil cul et toute votre adorable personne.*

adressée à madame / madame Denis /

Mme Denis a biffé certains mots à la fin de cette lettre.

[1] c'est en novembre que Voltaire envoya à Toulouse le célèbre billet (Best.3001): 'Venez, et venez sans inquiétude. M. Orri, à qui j'ai parlé, se charge de votre sort.' Marmontel vint donc, non pas en octobre comme il nous le dit lui-même, mais en décembre. Entre-temps les cabales de mme de Pompadour contre le contrôleur avaient abouti, et Voltaire se chargea lui-même du sort du jeune provincial.

24

Mi sono incontrato hoggi a caso mia signora con un signore Isali che m'ha beato con la vostra lettera. Ma quando l'ho letta, tutto il bene s'e cangiato in malhora. Ho veduto che siete anche ammalata, e che vi e stato cavato del sangue. Perche non posso io stare a canto del vostro letto in guisa di balia? O felice momento che mi rendera a voi, ambedue sani, e liberi e senza importuni? O quante cose ho da communicarvi, mia cara! In tanto ho eseguito subito i vostri commandi, ho trovato appuntino gli quattri bigglietti che domandavate. Ma grande era il mio cordoglio che ni uno di questi fosse per voi, e che vi foste ammalata mentre le altre donne correvano da Parigi al balletto di Versailles. Non ho voluto sentire L'opera di Bonneval e di Rameau[1] una seconda volta. M'ha recato troppo fastidio la prima, e una cosa via piu grata a me e piu dolce di scriver vi, che di sentire una tale musica, cosi fredda, e degna delle parole. Ho qui molte facende, e sono sempre affaticato intorno questa historia, raccolgo tutti gli insegnamenti che io posso trovare, e quando la mia messe sara compita ritornero a Parigi. Vi vedero, ragionero con voi e vi baciero teneramente. Adio mia carissima.

sabbato [18 décembre] (1746) [1745]

J'ai rencontré aujourd'hui par hasard, ma bien-aimée, un certain Isali qui m'a rendu heureux par votre lettre. Mais quand je l'ai lue tout mon bonheur s'est changé en malheur. J'ai vu que vous étiez aussi malade, et qu'on vous a tiré du sang. Pourquoi ne puis-je rester à côté de votre lit en guise de nourrice? O l'heureux moment qui me rendra à vous, l'un et l'autre en bonne santé, et libres et débarrassés des importuns. Que de choses j'ai à vous dire, ma chère enfant! Cependant j'ai exécuté aussitôt vos ordres, j'ai trouvé tout juste les quatre billets que vous me demandiez. Mais grande était ma douleur de penser qu'aucun d'eux n'était pour vous et que vous étiez malade pendant que les autres femmes couraient de Paris au ballet de Versailles. Je n'ai pas voulu entendre l'opéra de Bonneval et de Rameau[1] *une seconde fois. Il m'a donné trop d'ennui la première, c'est une chose tellement plus agréable pour moi et plus douce de vous écrire que d'écouter une telle musique, si froide, si digne des paroles. J'ai ici beaucoup de besogne et je me tue toujours pour cette histoire, je rassemble tous les renseignements que je peux trouver et quand ma moisson sera achevée je retournerai à Paris. Je vous verrai, je raisonnerai avec vous et vous embrasserai tendrement. Adieu ma très chère enfant.*

Samedi

adressée à Madame / madame Denis, à / l'hôtel d'Herbouville / rue pavée au marais / à Paris /; *estampillée* DE VERSAILLES

L'année endossée par mme Denis n'est pas exacte.

[1] c'est un lapsus; Rameau et Bonneval n'ont jamais collaboré: pour Rameau il faut lire Blamont; voir plus haut la lettre du 9.

25

lunedi [27 décembre] (1746) [1745]

M'avete scritto una lettera transportatrice, che jo ho bacciata; non mi maraviglio del vostro cosi bel scrivere in italiano. E ben convenevole e giusto, che siate prattica della lingua d'amore. Per dio non posso creder vi quando mi dite che non havete un amante. Come potete dunque fare! nel quale ozio sono sepolte tante grazie? Voi non far L'amore? ah mia carissima, voi offendete il vostro dio. Mi dite che la mia lettera ha recata la volutta insino a j vostri sensi; j miej corrispondono a j vostri, non ho potuto leggere queste vostre vezzoze espressioni, senza sentir mi infiammato nel fundo del core. Ho pagato a vostra carta il tributo che jo havrei voluto pagare a tutta la vostra persona. Il piacere de sensi trapassa e fugge in un batter' docchio, ma Lamicizia tra noi, la confidenza reciproca, j piaceri del cuore, la volutta dell anima, non si distruggono, non periscono cosi. Vi amero insino alla morte. Trovarete qui nella mia camera le quattro biggliettini per Armida. Vorrei portar loro a j vostri piedi, e poi fare il viaggio di Parigi a Versailles[1] colla mia cara Denis. Adio vi baccio mille volte.

Sapete che la madre della signora di P. e morta[2]? Sono molto obligata a la figlia ma zitto.

lundi

Vous m'avez écrit une lettre transportante, que j'ai embrassée; je ne m'étonne pas que vous écriviez si bien en italien. Il est très convenable et juste que vous soyez connaisseuse dans la langue de l'amour. Par dieu je ne puis vous croire quand vous me dites que vous n'avez pas d'amant. Comment pouvez-vous donc faire? Dans quelle oisiveté sont donc ensevelis tant de charmes? Vous, ne pas faire l'amour? Ah ma très chère vous offensez votre dieu. Vous me dites que ma lettre a apporté la volupté jusqu'à vos sens, les miens sont pareils aux vôtres, je n'ai pas pu lire ces paroles délicieuses que vous avez écrites sans me sentir enflammé jusqu'au fond du cœur. J'ai payé à votre lettre le tribut que j'aurais voulu payer à toute votre personne. Le plaisir des sens passe et s'enfuit en un clin d'œil mais l'amitié qui nous lie, la confiance réciproque, les plaisirs du cœur, la volupté de l'âme, ne se détruisent et ne périssent pas ainsi. Je vous aimerai jusqu'à la mort. Vous trouverez ici dans ma chambre les quatre billets pour Armide. Je voudrais venir les mettre à vos pieds et faire ensuite le voyage de Paris à Versailles[1] *avec ma chère Denis. Adieu je vous embrasse mille fois.*

Savez vous que la mère de madame de P. est morte[2]*? J'ai beaucoup d'obligation à la fille, mais silence.*

adressée à Madame / madame Denis, à l'hôtel / d'Herbouville, rue pavée / au marais / à Paris /; *estampillée* DE VERSAILLES

Mme Denis s'est encore trompée d'année.

[1] il semble donc qu'il est question d'une représentation à Versailles, qui ne peut être que celle du 30 décembre 1745; l'*Armide* de Quinault-Lully fut ensuite donnée à Paris à partir du 7 janvier 1746.

[2] Madeleine de La Motte Poisson mourut le 25 décembre.

26

[1745/1746]

Vi porgo mia cara, le piu vive instanze, all'effetto di ritenere al mio servigio questo ragazzo che parla cosi bene l'italiano, ne tengo un grande desiderio. Verra meco quando cenero con voi mia carissima. Tutta la cena si passera in italiano. Bisogna che lasci il suo padrone. Ma voi sarete sempre la mia padrona. Volevo andar da voi sta mattina; non l'ho potuto, la mia cattiva sanita e sempre una gran nemica del piacere.

Adio, vi baccio teneramente.

Je vous fais ma chère enfant les plus vives instances pour me procurer les services de ce garçon qui parle si bien l'italien. J'en ai une grande envie. Il viendra avec moi quand je dînerai chez vous ma très chère. Tout le dîner se passera en italien. Il faut qu'il abandonne son maître. Mais vous serez toujours ma maîtresse. Je voulais aller vous voir ce matin; je ne l'ai pas pu, ma mauvaise santé est toujours une grande ennemie du plaisir.

Adieu, je vous embrasse tendrement.

adressée à Madame / madame Denis /

27

[1745/1746]

Cara, non mi curo d'un servo che non si cura di me. Sara veramente piu piacevole di parlare italiano con voi, che con questo manigoldo che e cosi schifo; non venite da me, che jo saro alla comedia italiana. Domani verro da voi. Niente di piu, sono colla signora che mi vede.

Ma chère enfant, je ne me soucie pas d'un domestique qui ne se soucie pas de moi. Il sera vraiment plus agréable de parler italien avec vous qu'avec cette canaille si dégoûtante. Ne venez pas chez moi car je serai à la comédie italienne. Demain j'irai chez vous. Rien de plus, je suis avec la dame qui me regarde.

adressée à madame / madame Denis /

28

Cara, non ho potuto uscire, j miej cavalli erano e sono encora ammalati, si come il loro padrone. Ma subito che havro la faculta dandare fuori, verro da voi mia cara italiana, colla quale vorei viver sempre.

giovedi [1745/1746]

Ma chère enfant, je n'ai pas pu sortir, mes chevaux étaient et sont encore malades, tout comme leur maître. Mais aussitôt que j'aurai le moyen de sortir, je viendrai chez vous, ma chère italienne avec qui j'aimerais vivre toujours.

jeudi

29

Disegnava mia cara di venire questa sera dal' mio bene. Ma sono rapito malgrado di me, al fondo dal'altra parte della citta. Se siete libera e sola, venerdi, cenero con voi, e godero l'unico piacere che possa giovar mi nel mondo. Adio. Vi amo teneramente.

mercoledi [1745/1746] V.

J'avais l'intention ma chère enfant de venir ce soir voir ma bien-aimée. Mais on m'enlève de force à l'autre bout de la ville. Si vous êtes libre et seule vendredi je dînerai avec vous et j'aurai l'unique plaisir qui puisse me réjouir en ce monde. Adieu. Je vous aime tendrement.

V.

mercredi

adressée à madame / madame Denis /

30

Cara, cara, la sanita ed io habbiamo fatto un eterno divorzio. Voleva venire à voi e vado al letto. Ma vi giuro per tutti i santi e per j vostri vezzi che domani vi vedero se io posso uscire. Adio cara.

V.

dominica sera [1745/1746]

Chère, chère, la santé et moi avons fait un éternel divorce. Je voulais venir vous voir et je vais me coucher. Mais je vous jure par tous les saints et par vos charmes que demain je vous verrai si je peux sortir. Adieu ma chère enfant.

V.

dimanche soir

adressée à madame / madame Denis /

31

[1745/1746]

Una piccola parte di me, cioe il corpo, e venuta a Parigi, molto afflitta. L'anima vi apartiene per sempre, ed essa si lusinga di dir vi oggi quanto vi ama.
Bon giorno mia cara.

Une petite partie de moi, à savoir le corps, est arrivée à Paris, bien souffrante. L'âme vous appartient à jamais et se flatte de vous dire aujourd'hui combien elle vous aime.
Bonjour ma chère enfant.

adressée à madame / madame Denis /

avete scritto una pistola
che ha reusito a maraviglia.
voglio vene ringraziare, ebenche
siete solo, cenare colla piu
amabile donna di parigi, ma
bisogna in verita morir di
fama per vivere. come sta la
mia cara. giovedi.

rimprovero al mio Cuore

a Madame
madame Denis

32

Sono costretto d'andare fuori, ma, jo saro ritornato a casa sulle sei hore. Vi aspettero mia cara anima. Ragionaremo insieme di mille cose. La mia sanita va crudelmente, ma la vostra tenerezza mi risana. Vi baccio mille volte.

mercoledy [1745/1746]

Je suis obligé de sortir mais je serai de retour chez moi vers les six heures. Je vous attendrai, ma chère âme. Nous raisonnerons ensemble de mille choses. Ma santé me fait cruellement souffrir, mais votre tendresse me guérit. Je vous embrasse mille fois.

mercredi

adressée à M[adame] / madame [Denis] /

Le manuscrit est déchiré.

33

Mia cara, si direbbe che non ardisco presentar mi inanzi alle vostre belle [ ][1] d'al tempo che ho contaminata la vostra casa. Sono indegno di voi mia anima, ma non bramo meno di rivederla. Gli affari mi struggono, sono stanco del mondo, sono desideroso della vostra compagnia. Vorrei passare la matina, il mezzo giorno, la sera con voi. Ma il vortice del mondo mha inghiottito. Ah cara, cara, quando potra il vostro tenero amico vivere con voi sola?

sabbato [1745/1746]

Ma chère enfant, on dirait que je n'ose pas me présenter devant vos belles [ ][1] depuis le temps que j'ai contaminé votre maison. Je suis indigne de vous, mon âme, mais je n'en brûle pas moins de vous revoir. Les affaires me rongent, je suis fatigué du monde, je ne désire que votre compagnie. Je voudrais passer la matinée, la journée, la soirée avec vous. Mais le tourbillon du monde m'a englouti. Ah chère, chère, quand donc votre tendre ami pourra-t-il vivre avec vous seule?

Samedi

adressée à Madame / madame Denis /

[1] un mot assez évident manque.

34

Avete scritto una pistola che ha riuscito a maraviglia. Voglio vene ringraziare, e se siete sola, cenero colla piu amabile donna di Parigi, ma bisogna in verita morir di fame per vivere. Come sta la mia cara?

giovedi [1745/1746]

Vous avez écrit une épître qui a réussi à merveille. Je veux vous en remercier, et si vous êtes seule je dînerai avec la plus aimable femme de Paris, mais il faut en vérité mourir de faim pour vivre. Comment va ma chère enfant?

jeudi

adressée à Madame / madame Denis /

Madame Denis a écrit sur la lettre: 'Rimprovero al mio cuore', 'Je reproche à mon cœur'.

35

[1745/1746]

Se sta oggi di casa la mia carissima amica, verro da Lei, e L'ammalato suo amico ne ricevra comforto. Non ho havuto un momento di salute da che lho veduta. La sua prezenza mi rendera la sanita e l'allegrezza. La baccio mille volte.

V.

Si ma très chère amie est aujourd'hui chez elle, je viendrai la voir, et son ami malade en sera soulagé. Je n'ai pas eu un moment de santé depuis que je vous ai vue. Votre présence me rendra la santé et la gaîté. Je vous embrasse mille fois.

V.

adressée à madame / madame Denis /

36

Ecco mia cara, la piccola dissertazione. Glie la mando, e glie la vorrei portare. Ma vado a Livri. Mi lusingo che al mio ritorno la vedero, cenero con il mio cuore, et bacciero mille volte il mio bene.

dominica matina [1745/1746]

Voici ma chère enfant, la petite dissertation. Je vous l'envoie, et je voudrais vous l'apporter. Mais je vais à Livri. Je compte qu'à mon retour je vous verrai, que je dînerai avec mon cher cœur et que j'embrasserai mille fois ma bien-aimée.

dimanche matin

37

Andai al L'opera anche io; mia cara, ed il mio piacere sarebbe stato raddopiato, se l'havessi sentito appresso di voi. La signora di Mets mi trasporto fuor' di me stesso. Ma non m'ha sanato. Ero ammalato e lo sono encora. Se fosse vero che il piacere potesse render la salute, me lavreste data piu d'una volta. Ma ho esperto che Le piu delitioze gioie non sono per me che un mazzo di fiori tra Le piu pungenti spine. Volevo venire hoggi da voi. J miej dolori crudelmente rinovati non l'hanno permesso. Se jo posso domani avere un piccolo raggio di salute, non manchero di passare nella vostra compagnia alcuni momenti e mi scordero delle mie passate doglie. Tutto il male svanira nella presenza del mio bene. Adio, vi baccio mille volte, benche indegno.

lunedi [1745/1746]

J'étais à l'opéra moi aussi, ma chère enfant, et mon plaisir eût été redoublé si je l'avais éprouvé près de vous. La dame de Mets me transporte hors de moi-même. Mais elle ne m'a pas guéri. J'étais malade et je le suis encore. S'il était vrai que le plaisir pût rendre la santé vous me l'auriez rendue plus d'une fois. Mais j'ai éprouvé que les joies les plus délicieuses ne sont pour moi qu'un bouquet de fleurs parmi les plus piquantes épines. Je voulais venir vous voir aujourd'hui. Mes douleurs qui ont cruellement repris ne me l'ont pas permis. Si je puis avoir demain un petit rayon de santé je ne manquerai pas de venir passer quelques instants en votre compagnie et j'oublierai mes douleurs passées. Tout le mal s'évanouira en présence de mon bien. Adieu, je vous embrasse mille fois, tout indigne que j'en sois.

Lundi

adressée à madame / madame Denis /

38

[1745/1746]

Non sto bene cara, ma i vostri bigliettini mi rendono l'allegrezza se non la sanita. Vi vedero oggi cara. E se posso cenare cenero. Ma sicurro verro da voi. Vi baccio, vi amo.

V.

Je ne vais pas bien, ma chère enfant, mais vos petits billets me rendent la gaîté sinon la santé. Je vous verrai aujourd'hui ma chère enfant. Et si je puis dîner, je dînerai, mais certainement je viendrai vous voir. Je vous embrasse, je vous aime.

V.

adressée à madame / madame Denis

39

[1745/1746]

Ah cara, era tanto ammalato hiersera che andai al letto a otto ore. Ma vivo o morto saro da voi oggidi circa le nove. Non so se la facende siano piu spacievole de j dolori colici. Ma so bene che mi scordero presso di voi, del tedio de gli affari e dell' acerbita della mia cattiva sanita. Non è men certo che vi amero sempre.

V.

Ah chère, j'étais si malade hier soir que je suis allé me coucher à huit heures. Mais vif ou mort je serai chez vous aujourd'hui vers neuf heures. Je ne sais si les affaires sont plus désagréables que les maux d'intestins. Mais je sais bien que j'oublierai auprès de vous l'ennui des affaires et la dure épreuve de ma mauvaise santé. Il n'est pas moins certain que je vous aimerai toujours.

V.

adressée à madame / madame Denis /

40

Il primo momento della mia venuta a Parigi fu impiegato nel correre a vostra casa, il primo momento del giorno si passa a scriver vi, e l'ultimo mi vedera a vostri piedi. Non credo che possa cenare ma la vedero, e la baciero mille volte.

Lunedi [1745/1746]

Le premier moment de mon arrivée à Paris fut employé à courir chez vous, le premier moment du jour se passe à vous écrire et le dernier me verra à vos pieds. Je ne crois pas que je puisse dîner mais je vous verrai et je vous embrasserai mille fois.

lundi

adressée à Madame / madame Denis /

41

[1745/1746]

Domani dunque, mia cara, vi vedero. Sperava di venire oggi da voi. E se la mia sanita me ne da la licenza verro fra un'ora. Ma sicuro vi diro domani quanto vi amo.

Demain donc ma chère enfant je vous verrai. J'espérais venir aujourd'hui chez vous. Et si ma santé le permet, je viendrai dans une heure. Mais sûrement je vous dirai demain combien je vous aime.

adressée à madame / madame Denis /

42

[1745/1746]

Mia carissima ho passato tutto il giorno nella fatica di correre di strada in strada. Sono strucco. Non vi vedero oggi. Ma il mio cuore s'involа verso di voi, vi baccio teneramente, vi amero fin' a la morte.

V.

Ma très chère j'ai passé toute la journée à courir de rue en rue. Je suis à bout. Je ne vous verrai pas aujourd'hui. Mais mon cœur vole vers vous, je vous embrasse tendrement, je vous aimerai jusqu'à la mort.

adressée à Madame / madame Denis /

43

[1745/1746]

Mia cara non vi vedero oggi. Tutti j miei giorni non sono fortunati.

Ma chère enfant je ne vous verrai pas aujourd'hui. Tous mes jours ne sont pas heureux.

adressée à madame / madame Denis

44

[1745/1746]

No, mia cara, no, non andero oggi di a Fontainebleau. Non sto bene, ma la vedero, vorrei vivere a i suoi piedi e morire nelle sue braccia.

Non, ma chère enfant, non, je n'irai point aujourd'hui à Fontainebleau. Je ne suis pas bien, mais je vous verrai, je voudrais vivre à vos pieds et mourir dans vos bras.

adressée à Madame / madame Denis /

45

[1745/1746]

Hier sera, mia cara, era tutto ammalato; o! che crudelta di non poter godere un corpo sano in un'anima sana! Gli affari, i dolori colici, e viaggii a Versailles mi tormentano; o! quando potero vivere con voi ignoto a tutta la terra? Mi lusingo di venire da voi oggi. Vi baccio mille volte.

V.

Hier soir, ma chère enfant, j'étais tout à fait malade; oh! quelle cruauté de ne pouvoir jouir d'un corps sain dans une âme saine! Les affaires, les douleurs coliques et les voyages à Versailles me tourmentent; oh! quand pourrai-je vivre avec vous ignoré de toute la terre? Je me flatte de venir vous voir aujourd'hui. Je vous embrasse mille fois.

V.

adressée à madame / madame Denis /

46

Giunto che sono a casa trovo la vostra vezzosa lettera. La prima Daphne era leggiadra, la seconda e transportatrice. Veramente il vostro genio mi rapisce. Mia cara la signora Duch. cenera oggi, da la duchessa di Modene[1], ed io da la cara mia musa che amo piu che la mia vita.

V.

martedi [1745/1746]

En arrivant chez moi je trouve votre charmante lettre. La première Daphnis était aimable, la seconde est transportante. Vraiment votre goût me ravit. Ma chère enfant, madame Duch. dînera aujourd'hui chez la duchesse de Modène[1] et moi chez ma chère muse que j'aime plus que ma vie.

V.

mardi

[1] Charlotte Aglaé d'Orléans, dite mademoiselle Valois, princesse de Modène.

47

[1745/1746]

Saro su le otto alla casa di vrā sorella, ma forza e che ne piglio il mio commiato verso le dieci. Mia cara, veder vi in casa altrui, cio non e veder vi. Vi amo teneramente. Vorrei sempre esser solo con voi sola. Ma, cara, non sono mai stato piu ammalato. Il mio cuore e felice, il corpo e misero. O se potesse vivere, come voi sognate!

Je serai vers les huit heures chez votre sœur, mais je serai obligé de prendre congé vers dix heures. Ma chère enfant, vous voir chez autrui ce n'est pas vous voir. Je vous aime tendrement. Je voudrais toujours être seul avec vous seule. Mais, chère, je n'ai jamais été plus malade. Mon cœur est heureux, mon corps est tourmenté. O si je pouvais vivre selon votre rêve!

adressée à madame / madame Denis /

48

[1745/1746]

Vi ho scritto oggi, non riceverete la lettera, che tardi perche il messagiere n'a portato altre, in quartieri molto distanti di vostra caza. La vostra sanita mi viene piu cara della mia. Faro tutto che jo potero per andare domani da voi. Mi credero meno ammalato se state meglio. Adio, vi amero sempre con ogni maggiore tenerezza.

V.

Je vous ai écrit aujourd'hui, vous ne recevrez la lettre qu'assez tard parce que le courrier en a porté d'autres dans des quartiers fort éloignés de votre demeure. Votre santé me tient plus à cœur que la mienne. Je ferai tout ce que je pourrai pour aller vous voir demain. Je me croirai moins malade si vous allez mieux. Adieu je vous aimerai toujours avec la plus grande tendresse.

adressée à madame / madame Denis /

49

ce mardy 2 (7bre 1743) [?vers janvier 1746] au soir

Ma chère enfant votre lettre me console du malheur que j'ay d'être à Versailles, de tous les soins que je suis obligé de me donner pour obtenir les plus modestes demandes et pour prévenir le mal qu'on est toujours prest à faire. Je suis bien sot et bien malheureux de ne pas vivre avec vous tranquille et ignoré, loin des rois, des courtisans et des baladins. Ces réflexions me désespèrent. Je rougis d'être si philosofe en idée, et si pauvre homme en conduitte. Il n'y a de raison ny de bonheur que pour ceux qui vivent avec leurs amis. Je compte revenir bientôt; votre présence dissipera tous mes chagrins. Mais quelle destinée d'être toujours si loin l'un de l'autre! de se chercher sans presque se voir! Ah que je suis las de ne pas demeurer avec vous dans la même maison! Il me semble que vous m'adouciriez les mœurs. Bon jour ma chère enfant. Ménagez bien celuy qui est en Flandre, et aimez un peu celuy qui est à Versailles et qui enrage.

adressée à madame / madame Denis, / à l'hôtel d'Herbouville / rue pavée / au marais / à Paris /; *estampillée* DE VERSAILLES

Mme Denis a daté cette lettre '7bre 1743'; erreur, puisque Voltaire, arrivé à Berlin le 30 août, repartit le 10 septembre pour Bayreuth, d'où il rentra en Prusse en passant par Gera, Halle et Dessau, arrivant à Charlottenburg vers le 1er octobre. En effet, celui que mme Denis devait ménager en Flandre n'était pas son mari, mais probablement son frère.

50

7 mars [1746]

L'altro hieri torno a Parigi, e torno ammalato. Hieri lasciaï il mio letto per vedere Armida, vi erate la, e non lo sappi che quando ritornai a casa dove la vostra cara lettera mi fu resa. Hoggi sono stato ammalato crudelmente, volevo uscire e venire da voi, e non l'ho potuto. Cosi e ordinata, o piu tosto acerbamente disordinata la mia infelice vita. Non posso adesso pensare ne a Menil ne ad altra cosa ma penso a voi, e vi amero quando morro, altretanto che nel tempo che mi resta da vivere, se alcun mi resta.

Avant-hier je revins à Paris et j'y revins malade. Hier je quittai mon lit pour voir Armide, vous étiez là et je ne l'appris qu'en rentrant chez moi, où votre chère lettre me fut remise. Aujourd'hui j'ai été cruellement malade, j'ai voulu sortir et aller vous voir et je ne l'ai pas pu. C'est ainsi qu'est ordonnée ou plutôt affreusement désordonnée ma malheureuse vie. Je ne puis à présent penser ni à Menil ni à rien d'autre, mais je pense à vous et je vous aimerai à ma mort tout comme pendant le temps qui me reste à vivre s'il m'en reste.

adressée à Madame / madame Denis /

51

Mi luzingo mia cara che tutto che desiderate sara conseguito. Ne ho parlato al vostro cognato a cui havevate gia accennata la vostra voglia. Ma bisogna radunar ci alla caza del signor Menil, sabbato, in vece di lunedi, perche probabilmente non saro a Parigi lunedi. Vi baccio mille volte e mi pare che sia una cosa ridicola di veder ci da un notaio. Altri luoghi altri ridotti vole la mia tenera amicizia.

giovedi [mars 1746]

Je me flatte ma chère enfant que tous vos vœux seront exaucés. J'en ai parlé à votre beau-frère à qui vous aviez déjà manifesté votre désir. Mais il faut que nous nous réunissions chez monsieur Menil samedi au lieu de lundi parce que je ne serai probablement pas à Paris lundi. Je vous embrasse mille fois; il me paraît que c'est une chose ridicule de se voir chez un notaire. Ce sont d'autres lieux et d'autres retraites que réclame ma tendre amitié.

Jeudi

adressée à madame / madame Denis / à l'hôtel d'Herbouville /

52

Havete troppo bene indovinato. Si, mia cara, sono stato ammalato. Vuole ella venire domani a pransare meco? Marmontel vi recitera la tradduzione che ha fatta del Rizzio[1] del Pope. Ho cento cose da dirvi. Inviero oggi d'al signor Fortunati[2]. Tutto L' mondo sta ammalato. E forse che L' Fortunati ne ha la sua parte. Adio, mia cara, vi amo teneramente, vi aspetto domani circa la prima hora doppo mezzo di.

mercoledi [vers mars 1746]

Vous n'avez que trop bien deviné. Oui, ma chère enfant, j'ai été malade. Voulez-vous venir demain déjeuner avec moi? Marmontel vous récitera la traduction qu'il a faite du Rizzio[1] *de Pope. J'ai cent choses à vous dire. J'enverrai aujourd'hui chez monsieur Fortunati*[2]. *Tout le monde est malade et peut-être Fortunati en a-t-il sa part. Adieu, ma chère enfant, je vous aime tendrement, je vous attends demain vers une heure de l'après-midi.*

Mercredi

adressée à madame / madame Denis /

[1] pourquoi ce titre? L'ouvrage ne peut être que *The Rape of the lock*, dont M[armontel] a donné une nouvelle traduction, la cinquième ou sixième: *La Boucle de cheveux enlevée* (Paris 1746); ce qui est du reste confirmé par la lettre 56. Ce 'Rizzio' n'est peut-être qu'une déformation de 'Ricciolo' (rapito).

[2] ce Fortunati, ancien secrétaire du nonce, enseignait l'italien; c'est en mai 1746 que Voltaire le recommandait aux lecteurs du *Mercure de France* (Best.3064).

53

[mars/avril 1746]

Come sta la mia cara? come va il dolore di testa, del quale era travagliata? Che ha fatto, che fa, che fara? Sono andato ala campagna, e domani vi andero ancora. Sono tutto sollecito per gli interessi di questa academia, ma sarebbe piu piacevole di servir vi, che di travagliar si per trenta nove academici. Vi baccio teneramente. Vi amo del tutto mio cuore.

Comment va ma chère enfant? comment va le mal de tête qui la faisait souffrir? Qu'a-t-elle fait, que fait-elle, que fera-t-elle? Je suis allé à la campagne et demain j'y retournerai encore. Je suis tout entier occupé des intérêts de cette académie, mais il me plairait davantage de vous servir vous, que de me démener pour trente-neuf académiciens. Je vous embrasse tendrement. Je vous aime de tout mon cœur.

adressée à Madame / madame Denis /

54

Hieri vinti nove academici si ragunaro ed io hebbi vinti nove suffragii[1]. Questo e il primo castigo di questo mostro chiamato *Roy*[2]. Sappiate mia cara che questa buona fortuna era assolutamente necessaria pel vostro amico che vi amera sempre. Bisogna fare quaranta visite ed andare a Versailles.

Dites à madame de Fontaines et à Mr ma petite fortune, de l'unanimité des suffrages.

ce mardy [26 avril 1746]

Hier vingt neuf académiciens se réunirent et j'eus vingt-neuf suffrages[1]. *Voilà le premier châtiment de ce monstre nommé Roy*[2]. *Sachez ma chère enfant que cet heureux résultat était absolument nécessaire pour votre ami qui vous aimera toujours. Il faut faire quarante visites et aller à Versailles.*

adressée à madame / madame Denis, à l'hôtel / d'Herbouville rue pavée / au marais /

[1] la tradition veut qu'il y ait eu une voix contre lui.

[2] Pierre Charles Roy, petit talent oublié, qui voulut par tous les moyens nuire à la candidature de Voltaire.

55

[vers mai 1746]

Carissima, se havete risentito un poco d'infreddatura, ne ho havuto molto per la mia parte. Ma se havessi saputo che erate ammalata sarei venuto da voi. Il Fortunati dee essere piu contento della sua scolare, che non la sua scolare di lui! veramente scrivete benissimo. Saro costretto d'uscire domani matina, ma staro di casa la sera. Saro solo, ed aspettero con impatienza, il piacere di veder vi. Habbiamo da ragionare insieme. Mi pare che non vi habbia veduto un secolo fa. Vi baccio mille volte, con tenerezza e passione.

V.

Très chère, si vous avez souffert d'un petit rhume, j'en ai eu pour ma part un gros. Mais si j'avais su que vous étiez malade, je serais venu vous voir. Fortunati doit être plus content de son élève que son élève de lui! vraiment vous écrivez fort bien. Je serai obligé de sortir demain matin, mais je resterai chez moi le soir. Je serai seul et j'attendrai impatiemment le plaisir de vous voir. Nous avons à raisonner ensemble. Il me semble que je ne vous ai pas vue depuis un siècle. Je vous embrasse mille fois, avec tendresse et passion.

V.

adressée à madame / madame Denis /

56

Havevate ben' congetturato che il Fortunati haveva la sua parte di queste infreddatura che sono troppo communi nel questa fredda ed humida stagione. Egli verra da voi cosi tosto potera andare fuori di casa. Non vi ho veduta oggi a bastanza, mia cara. Il traduttore di Pope mi divenne fastidioso; fo piu conto d'uno de' vostri capeli che di tutti i ricci di Belinda. Vi amo, e sempre vi amero.

Venerdi [vers mai 1746]

Vous aviez conjecturé avec raison que Fortunati avait sa part de ces refroidissements qui ne sont que trop fréquents en cette saison froide et humide. Il viendra chez vous aussitôt qu'il pourra sortir. Je ne vous ai pas assez vue aujourd'hui ma chère enfant. Le traducteur de Pope commence à m'ennuyer; je fais plus de cas d'un de vos cheveux que de toutes les boucles de Belinde. Je vous aime et vous aimerai toujours.

Vendredi

adressée à Madame / madame Denis /

57

(1746)

Se havete, mia cara, qualche opportunita di parlare all signor Geli, o di far gli insinuare quanto sia il suo vantaggio d'avere il Linant[1] apresso il suo figlio, renderete un gran servigio a l'uno e a l'altro, ed a me encora se potete procurare scolari al signor Fortunati, compira la significazione del suo nome, e ve ne saro strettamente obligato.

La signora Dausseur vi ha risposto. Ecco il suo bigliettino qui giunto. Vi baccio teneramente. Adio, adio.

Si vous avez ma chère enfant quelque occasion de parler à monsieur Geli ou de lui faire suggérer combien il serait avantageux pour lui d'avoir Linant[1] *auprès de son fils vous rendrez un grand service à l'un et à l'autre, et à moi encore si vous pouvez procurer des élèves à monsieur Fortunati, cela donnera à son nom tout son sens et je vous en serai intimement obligé.*

Madame Dausseur vous a répondu. Voici son billet ci-joint. Je vous embrasse tendrement. Adieu, adieu.

adressée à Madame / madame Denis / hôtel d'Herbouville / rue pavée /

[1] le longanime Voltaire continuait donc à s'occuper de ce grand fainéant de Michel Linant que mme Du Châtelet avait été obligée de mettre à la porte en 1737.

58

(1746)

Mia cara non haveva dormito, ero morto, quando havete inviato da me, ed ecco la mia dura sorte che mi fa andare a Versailles. Oh quando sarete mia vicina! ma bisogna che nostri affari finiscano. Spero di riveder vi fra pochi giorni. Adio, sono tutto svogliato del mondo, ma piu che maï incapricito di voi. Adio mia carissima.

Ma chère enfant je n'avais pas dormi, j'étais mort, quand vous avez envoyé chez moi, et voici que mon cruel destin me force d'aller à Versailles. Oh quand serez-vous ma voisine? Mais il faut que nos affaires se terminent. J'espère vous revoir dans peu de jours. Adieu, je suis tout dégoûté du monde mais plus que jamais entiché de vous. Adieu ma très chère enfant.

adressée à Madame / madame Denis, hôtel / d'Herbouville / rue pavée /

59

(1748) [?1746]

Non ho avuto, ne tempo ne sanita; anzieta d'animo, dolori di corpo, perdita di tempo, desiderar molto, lavorare un poco, e far niente, ecco la mia vita. Ne siete l'unica consolazione. Che fate voi? come sta la salute? come va il cuore? Vi amero sempre ma sempre mi rincresce di non passare insieme, il resto de j miej giorni.

V.

Je n'ai eu ni temps ni santé; angoisse de l'âme, souffrances du corps, perte de temps, désirer beaucoup, travailler un peu, et ne rien faire, voilà ma vie. Vous en êtes l'unique consolation. Que faites-vous? comment va la santé? comment va le cœur? Je vous aimerai toujours mais toujours je regrette que nous ne passions pas ensemble le reste de mes jours.

V.

adressée à madame / madame Denis / à l'hôtel d'Herbouville / rue pavée au marais /

L'année indiquée par mme Denis est fausse, étant donné l'adresse.

60

(1746)

Eh mon dieu ma chère enfant qui sont les calomniateurs qui vous ont dit que j'avois soupé chez m[e] le Dosseur? Je n'ay assurément point soupé puis que je n'ay pas soupé avec vous.

Venez demain à la répétition si vous le pouvez avec madame Defontaine si elle peut.

Tout ce que je souhaittais de ce maudit testament, et nouvau testament, c'est que vous fussiez mieux traittée que Brizon. Cela n'est il pas juste? Mais voylà de belles bagatelles. Je vous aime de tout mon cœur. C'est là ce qui me paroit fort sérieux. On m'a voulu enterrer. Mais j'ay esquivé; bon soir.

V...

adressée à Madame / madame Denis /

61

Ma chère enfant j'ay mille choses à vous dire. Si vous dînez chez vous je viendray vous voir après votre dîner entre 3 et 4 heures. Attendez y le meilleur de vos amis

V.

vendredy (1747) [1746]

adressée à madame / madame Denis à / l'hôtel d'Herbouville / rue pavée / au marais /

En 1747 mme Denis n'habitait plus l'hôtel d'Herbouville.

62

(1746)

O che gran briga voi pigliate! e perche mia cara tante scusé, e tante ragioni? Volete che madame Prangin[1] venga, questo mi basta. Verra. Sara ben ricevuta, o jo abbruggiero questo gran bordello chamato L'opera. Mi dispiace molto che voi habbiate risentito un poco di febre. Ho cenato insino alle tre hore, e non sono morto.

Vi piaccia di ricordar vi che bisogna essere a mia casa avanti le cinque hore, che bisogna che jo vi conduca a cinque hore a L'opera. Una minuta e d'un gran prezzo. Venga dunque madame Prangin con voi, L'aspeterro, e vi bacciero.

Oh que de tracas vous vous donnez! et pourquoi ma chère enfant tant d'excuses, et tant de raisons? Vous voulez que madame Prangin[1] *vienne, cela me suffit. Elle viendra. Elle sera bien reçue ou je brûlerai ce grand bordel qu'on appelle l'opéra. Je suis très ennuyé que vous ayez eu un peu de fièvre. J'ai dîné jusqu'à trois heures et je ne suis pas mort.*

Souvenez-vous s'il vous plaît qu'il faut être chez moi avant cinq heures, qu'il faut que je vous mène à cinq heures à l'opéra. Chaque minute est d'un grand prix. Que madame Prangin vienne donc avec vous, je l'attendrai et vous embrasserai.

[1] dont le mari, le baron Jean Georges Guiguer de Prangins, devait huit ans plus tard louer son château près de Nyon à Voltaire, qui ainsi accomplit son rêve de passer sa vie avec mme Denis.

63

Venite sabbato con che vorrete, e trovarete tanti billegtini quanti ne vorrete, ma se potete persuadere la signora di Prangin di venire con voi, le prometto che egli sara ben ricevuta. Non vi sara alcuna folla perche il balletto sta per essere rappresentato a Parigi. Dopo il balletto potete andare alla caza della signora di Prangin, ed io vi accompagnerei, o verrei a visitar vi il giorno seguente, cioe la domenica, dove pochissime messe sarebbero sentite da la signora Prangin e da noi. Non ho maj passato un giorno intiero con voi, voglio godere questo piacere. Vi priego d'indurre la signora Prangin a questa partita se me amate, vi baccio mille volte.

V.

giovedi [1746] t. s. v. p.

Dite al signor Vallier che sono stato ammalato, che presentero j suoi versi domani e che non sono informato dove il signor Vallier sta di casa a Parigi.

Venez samedi avec qui vous voudrez, et vous trouverez autant de billets que vous voudrez, mais si vous pouvez persuader madame de Prangin de venir avec vous je vous promets qu'elle sera bien reçue. Il n'y aura pas foule parce que le ballet doit être représenté à Paris. Après le spectacle vous pouvez aller chez madame de Prangin et je vous y accompagnerai — ou bien je viendrai vous faire visite le lendemain, c'est à dire le dimanche, jour où nous n'entendrons madame Prangin et nous qu'un fort petit nombre de messes. Je n'ai jamais passé une journée entière avec vous, je veux jouir de ce plaisir. Si vous m'aimez je vous prie d'incliner madame de Prangin à ce parti. Je vous embrasse mille fois.

Jeudi

Dites à monsieur Vallier que j'ai été malade, que je présenterai ses vers demain et que je ne sais pas où monsieur Vallier demeure à Paris.

64

[vers le 15 octobre] (1746)

Mia cara, ero gia certiorato della Bella vittoria[1] riportata dal nostro fiero sassone, sopra il povero principe Carlo, sempre guerregiante et sempre battuto. Grazie siano rendute al nostro Achille di Sassonia. Voglio bevere con voi ala sua sanita. Ma la priego d'esser sobria, e di far me sobrio. Vi dimando la licenza di portare il mio vizzo. Sarebbe meglio di rizzare, ma che jo rizzi o no, vi amero sempre, sarete la sola consolazione della mia vita.

Ma chère enfant, j'étais déjà informé de la belle victoire[1] remportée par notre fier Saxon sur ce pauvre prince Charles, toujours guerroyant et toujours battu. Grâces soient rendues à notre Achille de Saxe. Je veux boire avec vous à sa santé. Mais je vous prie d'être sobre et de me rendre sobre. Je vous demande la permission d'apporter ma mollesse. Il serait mieux de bander, mais que je bande ou non, je vous aimerai toujours, vous serez la seule consolation de ma vie.

adressée à Madame / madame Denis /

[1] il est probablement question ici de la journée du 11 octobre 1746, qui vit la défaite de Charles de Lorraine par l'armée française commandée par Maurice de Saxe.

65

[vers le 5 décembre 1746]

Vi diro mia cara che il Duca di Richelieu ricevera il gentil'uomo da voi raccomendato, con tutta la sua gentilezza, e che gli fara gli 'onori della sua casa in Dresda, dove egli sara mantenuto lautamente. Ma il duca non puo condurlo, la sua carozza essendo gia ripiena, ne mandarlo co-gli altri gentil uomini che sono gia tutti in via. Bisognarebbe che codesto signore, andasse da se stesso fin' a Francfort dove egli trovarebbe i compagni del suo viaggio. Gli darei lettere di ricommandazione, e Lo presenterai prima al Duca. Ma non v'è tempo da perdere. Vi baccio mille volte mia cara benche assalito di miei dolori, e indegno di vostri favori.

V.

Je vous dirai ma chère enfant que le duc de Richelieu recevra le gentilhomme recommandé par vous avec toute sa bienveillance et qu'il lui fera les honneurs de sa maison à Dresde, où il sera entretenu splendidement. Mais le duc ne peut l'emmener avec lui, son carrosse étant déjà plein, ni le faire partir avec les autres gentilshommes qui sont déjà tous en route. Il faudrait que ce monsieur allât de lui-même jusqu'à Francfort où il trouverait ceux qui font le même voyage que lui. Je lui donnerai des lettres de recommandation et je le présenterai aussitôt au duc. Mais il n'y a pas de temps à perdre. Je vous embrasse mille fois ma chère enfant, bien que je sois assailli par mes douleurs et indigne de vos faveurs.

V.

adressée à Madame / madame Denis /

C'est le 9 décembre 1746 que Richelieu quitta Paris pour Dresde où il avait été envoyé en mission.

66

Mia cara il Re m'ha dato la carica vacante, ma j favori de j Re son meno cari, che j vostri.

sabbato [24 décembre] (1745) [1746]

Mi luzingo di bacciar la quanto prima.

Ma chère enfant le roi m'a donné la charge vacante, mais les faveurs des rois me sont moins chères que les vôtres.

samedi

Je me flatte de vous embrasser aussitôt qu'il se pourra.

Mme Denis s'est trompée d'année, ayant oublié les dix-huit mois qui se sont écoulés entre la promesse et son accomplissement.

67

Carissima, sono in villagiatura a Versailles, quieto e tranquillo fra le agitazioni, e le procelle della corte; e sarei felice se non fossi lontano da voï. Ma siete la mezza parte di me stesso, e la migliore, e la mia felicita e quella d'un'esule, dite mi di grazia come state, come vanno la musica e la lingua italiana. Corre qui un romanzo[1] il cui titolo, è le infelicita dell amore. La piu gran sciagura che in amore si possa risentire, e senza dubbio il vivere senza voi mia cara. Questo romanzo e composto dal signor de Pondeveile e non è percio meglio. Mi pare una insipida e fastidiosa freddura. Oh che gran distanza da un uomo gentil, cortese e leggiadro, fino ad un uomo di spirito e d'ingegno! Adio cara, vi baccio mille volte, vi amero fin alla morte.

V.

Lunedi [1747]

Très chère, je suis en villégiature à Versailles, calme et tranquille au milieu des agitations et des tempêtes de la cour, et je serais heureux si je n'étais loin de vous. Mais vous êtes la moitié de moi-même et la meilleure moitié, et mon bonheur est celui d'un exilé. Dites-moi de grâce comment vous allez, comment vont la musique et la langue italienne. Il court ici un roman[1] *intitulé les malheurs de l'amour. La plus grande infortune qu'on puisse éprouver en amour est sans aucun doute celle de vivre sans vous ma chère enfant. Ce roman a été composé par monsieur de Pondeveile et il n'en est pas meilleur pour cela. Il me paraît d'une insipide et ennuyeuse froideur. Oh quelle distance énorme n'y a-t-il pas entre un homme aimable, courtois et charmant et un homme d'esprit et de talent! Adieu chère enfant, je vous embrasse mille fois et vous aimerai jusqu'à la mort.*

Lundi *V.*

adressée à madame / madame Denis, rue / du Bouloy / à Paris /; *estampillée* DE VERSAILLES

[1] *Les Malheurs de l'amour* (Amsterdam 1747), composé, disait-on, par la marquise de Tencin et son neveu le comte de Pont-de-Veyle.

68

Je n'ay point digéré selon ma louable coutume. Mais le cœur rend heureux quand l'estomac fait enrager. Quoy! vous me faites des vers charmant enfant! eh bien mêlons y de la musique. Rameau va venir icy; il vous chantera son acte avec sa voix de pot cassé. Soyez icy vers les deux heures si vous pouvez. Vous êtes adorable et je vous aime de tout mon cœur. Si vous voulez diner on vous enverra chercher ce que vous voudrez, et nous aurons des glaces. Je vous embrasse mille fois.

V.

dimanche (1747)

adressée à madame / madame Denis /

69

(1747)

J'ay été horriblement malade ma chère enfant. Je soufre. Je ne peux ny sortir de chez moy, ny travailler, ny être oisif, ny digérer, ny faire diète, ny dormir, ny . . J'enrage. Gouvernez mieux vos affaires que je ne fais ma santé. Je vous envoye la lettre d'un de vos amis. De par s[t] Marc il faut avoir deux cordes à son arc.

70

(ce 1747)

Rimando alla mia cara musa il suo tedioso Nivelle Lachaussée, non c'e in questo tomo veruna comedia che desiderarei esser composta da voi. Tutto e sciocco, senza sale, senza comico, senza arte. Veramente il nostro secolo è barbaro. Sono stato ammalato ieri. Ma come sta la mia cara musa?

Je renvoie à ma chère muse cet ennuyeux Nivelle Lachaussée, il n'y a pas dans ce volume une seule comédie que je souhaiterais que vous eussiez faite. Tout est fade, sans sel, sans comique, sans art. Véritablement notre siècle est barbare. J'ai été malade hier. Mais comment va ma chère muse?

adressée à madame / madame Denis /

On ne connaît à cette époque aucun volume contenant plusieurs pièces de La Chaussée : il s'agit donc d'un recueil factice.

71

(1747)

Mia cara, avro oggi, il piacere di veder vi, e di ragionar colla mia musa e la mia tenera amica che amo ed amero del tutto mio cuoré.

Ma chère enfant, j'aurai aujourd'hui le plaisir de vous voir et de raisonner avec ma muse et la tendre amie que j'aime et aimerai de tout mon cœur.

adressée à madame / madame Denis /

72

Vous êtes charmante, je veux me bien porter pour vivre avec vous. Je travaillay hier après avoir pris beaucoup d'eau, et enfin après dix heures de tracas je fus près de m'évanouir. Je me couchai sans souper et je me porte bien. Venez me voir après l'opéra, je vous attendray, je vous ramèneray. Si vous voulez nous mangerons un poulet. Je seray à vos ordres. J'ay baucoup de choses à vous dire, la première c'est que je vous aime de tout mon cœur.

ce mardy (1747)

73

(1747)

Vi rimando mia cara un atto che havete lasciato hiersera; ho passato una notte cattivissima; ma le bellezze ammirabili che scintillano nella vostra comédia, e j vezzi della vostra conversazione hanno minuito i miej tormenti. Vi baccio mille volte. Auguro che il vostro drama sara delizizio, ma bisogna lavorare un poco.

Je vous renvoie ma chère enfant un acte que vous avez oublié hier soir. J'ai passé une nuit affreuse; mais les beautés admirables qui brillent dans votre comédie et les charmes de votre conversation ont diminué mes tourments. Je vous embrasse mille fois. Je présage que votre pièce sera charmante, mais il faut travailler un peu.

adressée à madame / madame Denis / rue du bouloir /

74

(1746) [?1747]

Nous faisons un petit souper dîner mardy entre 5 et 6 heures du soir avec votre sœur, l'abbé du Renel et Marmontel et sœur Jeanne[1]. N'y manquez pas ma chère enfant.

adressée à madame / madame Denis / rue du bouloir /

C'est à partir de 1747 que mme Denis habita la rue du Bouloir.

[1] c'est-à-dire, on lira quelques pages de la *Pucelle*.

75

A cinq heures et demie mercredy cara. N'y manquez pas, la fête est pour vous. Jeanne et moy nous vous embrassons. Je suis venu chez vous ce soir, cara.

Dimanche [?1747] à minuit

adressée à Madame / madame Denis /

76

Mia cara amica staro ancora a Versailles alcuni giorni. Non so la menoma nuova del mio processo[1], e non mene curo. La mia sola noia è di pensare que sia per passare un mese, lontano di voi. Andero a Anet fra pochi giorni, e d'Anet tornero a *Passi* per bever le aque. Voglio vivere sano per vivere con voi. La vita e un tormento senza voi e senza sanita. Mi lusingo di fare questo inverno prossimo un opera colla mia musa Denis. Adio carissima, vi amero sempre colla piu viva tenerezza.

Versailles mercoledi [juillet/août 1747]

Ma chère amie je resterai encore à Versailles quelques jours. Je n'ai pas la moindre nouvelle de mon procès[1] et je m'en soucie peu. Mon seul ennui est de penser que je dois passer un mois loin de vous. J'irai à Anet dans quelques jours et d'Anet je retournerai à Passy pour boire les eaux. Je veux vivre en bonne santé pour vivre avec vous. La vie est un tourment sans vous et sans la santé. Je me flatte de faire l'hiver prochain un opéra avec ma muse Denis. Adieu très chère, je vous aimerai toujours avec la plus vive tendresse.

Versailles mercredi

[1] l'affaire Travenol.

77

[vers août 1747]

Il vostro facendato ed ammalato amico vi ama teneramente, la sua crudele lite lo disturba molto. Ma il suo cuore e sempre ripieno di voi. Verra a ragionare colla sua amica quanto prima. Vi baccio mille volte, e vi amero fin' alla morte.

Votre ami affairé et malade vous aime tendrement, son cruel procès le tourmente beaucoup. Mais son cœur est toujours plein de vous. Il viendra raisonner avec son amie dès que possible. Je vous embrasse mille fois et vous aimerai jusqu'à la mort.

adressée à madame / madame Denis /

78

O cara le acque di Passy, m'hanno quasi ammazato. E se io possi ritornare in vita, verro domani lunedi a ripigliar la, presso di voi.

domenica sera [septembre/octobre] (1749) [1747]

O chère, les eaux de Passy m'ont presque tué. Et si je peux revenir à la vie, je viendrai la retrouver demain lundi auprès de vous.

dimanche soir

Pour la date de ce billet, voir la lettre qui suit.

79

Vous prenez à votre avantage
Un pauvre mortel tourmenté
Qui n'a que les maux en partage;
Tandis que la vivacité,
Les agrémens, la volupté
Sont votre brillant apanage.
Comme vous je voudrois chanter
Cet amour qui par vous sait plaire:
Mais il faudrait se mieux porter
Pour en parler et pour le faire.

Jo moro cara. Je suis cent fois plus mal que je n'étois avant de prendre les eaux. Je n'ay plus qu'une vie affreuse dont vous êtes l'unique consolation. On me trainera à Fontainebleau dans quelques jours. Peutêtre L'air de la campagne me fera un peu de bien. Mais je sens que je ne pouray revivre que quand je vous reverray. Adio cara musa, adio voi che siete la gloria delle donne. Aimez toujours un peu un homme bien à plaindre dont vous adoucissez seule les soufrances. Vos vers sont charmants. Vous êtes aussi aimable que je suis malheureux.

lundy (1748 de Ciré) [Paris septembre/octobre 1747]

adressée à madame / madame Denis /

On voit d'après l'adresse que cette lettre a été écrite à Paris; du reste Voltaire n'aurait pas pu dire à Cirey qu'on le 'traînerait à Fontainebleau dans quelques jours'. En effet, les eaux que Voltaire a prises sont celles de Passy, où il s'est dirigé après avoir quitté Anet; voir la lettre précédente.

80

Cara mia mi fu forza di partire senza gustar la consolazione di vederla. Andaï del signor di Montmartel prima d'andare a Fontainebleau. Sono adesso tra i queï signori di quali canta cosi bene il buon Uranio,

> Gente di nome, e di parlar cortese,
> ma d'opre scarsa.

Spero non dimeno di conseguire il buon esito di tutti j miej affari. E subito che avro finito il negozio che m'ingombra adesso, ritornero all unico vero piacere, al mio caro azilo, a voi, mia anima. Or che dite de gli inglesi che rassomigliano l'oceano il quale copre e fugge a vicende le nostre coste. Il diavolo gli affoggi nel fundo del mare, ed il summo dio mi riconduca a j vostri piedi. Se me scrivete cara, scrivete discretamente e farete bene.

V.

giovedi [septembre/octobre] (1747)

Ma chère enfant j'ai été obligé de partir sans avoir la consolation de vous voir. Je suis allé chez monsieur de Montmartel avant d'aller à Fontainebleau. Je suis à présent au milieu de ces gens dont le bon Uranio dit si bien:

> *Gens de renom, aux discours courtois,*
> *Mais fainéants.*

J'espère néanmoins parvenir à la bonne réussite de toutes mes besognes. Dès que j'aurai terminé l'affaire qui m'occupe à présent, je reviendrai au seul vrai plaisir, à mon cher asile, à vous mon âme. Que dites-vous de ces Anglais, qui ressemblent à l'océan, lequel couvre et fuit tour à tour nos côtes. Le diable les noie au fond de la mer! et que le dieu suprême me ramène à vos pieds. Si vous m'écrivez chère enfant, écrivez discrètement et vous ferez bien.

jeudi

adressée à madame / madame Denis, rue du bouloy /

81

[septembre 1747]

Sono stato ammalato ad *Anet*[1] mia carissima, ma spero di ricuperare la mia salute con voi. Subito che ritorni, corsi alla vostra casa, per ripigliar le mie forze. Hoggi vi vedero, hoggi trovero la sola consolazione che possa addolcire l'acerbita della mia vita. La natura gratificando mi del piu tenero cuore s'e scordata di dar mi un stomaco. Non posso digerire ma posso amare. Vi amo, vi amero insino alla mia morte. Vi baccio mille volte, mia cara virtuosa. Scrivete l'italiano meglio di me. Meritate dessere aggregata all'academia della Crusca. Il mio cuore ed il mio cazzo[2] vi fanno i piu teneri complimenti. Sta sera la vedero sicuro.

Je suis tombé malade à Anet[1]*, ma très chère enfant, mais j'espère retrouver la santé avec vous. Dès mon arrivée, je courrai chez vous pour restaurer mes forces. C'est donc aujourd'hui que je vous verrai, aujourd'hui que je retrouverai la seule consolation qui puisse adoucir l'amertume de ma vie. La nature qui m'a gratifié du cœur le plus tendre a oublié de me donner un estomac. Je ne puis digérer, mais je puis aimer. Je vous aime, je vous aimerai jusqu'au jour de ma mort. Je vous embrasse mille fois ma chère virtuose. Vous écrivez l'italien mieux que moi. Vous méritez d'être admise à l'académie de la Crusca. Mon cœur et mon vit*[2] *vous font les plus tendres compliments. Ce soir je vous verrai sûrement.*

adressée à Madame / madame Denis /

[1] c'est pendant la deuxième moitié d'août 1747 que mme Du Châtelet et Voltaire ont fait auprès de mme Du Maine la visite si malicieusement décrite par mlle de Launay (Best.3206, 3208-3210).

[2] mme Denis a vigoureusement biffé ce mot, et l'a remplacé au-dessus de la ligne par 'spirito'!

82

ce 20 [octobre] (1746) [1747]

Ma chère enfant, je suis aussi malingre à Fontainebleau qu'à Paris. Je compte végéter icy jusqu'à la toussaint. Je voudrois de tout mon cœur entendre le sermon du révérend père Mignot. Il faudra bientôt qu'il vienne précher à la cour, et que mon chancelier l'évêque de Mirepoix le fasse évêque. Ce sera là une bonne *mansion* pour luy dans la maison de mon père. Je m'imagine qu'à mon retour vous me ferez voir des choses profanes qui sont encor plus de mon goust qu'un sermon, mais vous ne ferez rien qui me plaise plus que vous même. Mille complimens je vous prie au père prédicateur, et à M. et mad[e] de Fontaine. Adio mia cara. Sono il piu fido el piu ammalato di tutti vostri servitori.

V.

adressée à madame / madame Denis / rue du bouloir / à Paris /; *estampillée* DE FONTAINEBLEAU

En remplaçant 1745 par 1746 mme Denis s'est de nouveau trompée; c'est en 1746 et 1747 que Voltaire a séjourné à Fontainebleau avant la Toussaint, mais en 1746 mme Denis habitait encore chez sa sœur, rue Pavée.

83

[novembre 1747]

Verro sicuro circa le otto ore oggi mia cara. Domani mi fa di mestieri d'andare a Sceaux per fare una prova. Vi baccio teneramente. Vi vedero dunque a Sceaux lunedi.

V.

Je viendrai certainement vers huit heures aujourd'hui ma chère enfant. Demain il est nécessaire que j'aille à Sceaux conduire une répétition. Je vous embrasse tendrement. Je vous verrai donc à Sceaux lundi.

V.

adressée à Madame / madame Denis /

84

(ce) [novembre/décembre] (1747)

Cara musa, anima cara, ritorno a mezza notte dalla piccola citta di Versailles e dallo castello di Sceaux. Ritrovo la vostra lettera, mando a saper come va la vostra salute. La mia e sempre disordinata. Ma la mia testa L'è encora piu. Mi lusingo di veder vi domani. Vi amero sempre.

Ma chère muse, ma chère âme, je rentre à minuit de la petite ville de Versailles et du château de Sceaux. Je trouve votre lettre; j'envoie savoir comment va votre santé. La mienne est toujours en désordre. Mais ma tête l'est encore davantage. Je me flatte de vous voir demain. Je vous aimerai toujours.

85

[novembre/décembre 1747]

Anima mia, sono ritornato da *Sceaux* e se posso godere oggi un poco di sanita, ed havere un poco di tempo, verro da lei, che fa tutta la mia consolazione. La prego di dire al vostro fante di mandar mi subito quello che m'haveva procurato, caso che non habbia preso partito altrove. Vi baccio mille volte mia cara.

V.

Ma chère âme, je suis revenu de Sceaux et si je puis jouir aujourd'hui d'un peu de santé et avoir un peu de temps je viendrai vous voir, vous qui faites toute ma consolation. Je vous prie de dire à votre valet de m'envoyer immédiatement celui que vous m'avez procuré, au cas où il n'ait pas pris d'engagement ailleurs. Je vous embrasse mille fois ma chère enfant.

V.

adressée à madame / madame Denis /

86

sabbato [novembre/décembre 1747]

Cara, siamo stati rapiti in differenti vortici, non ho potuto veder vi a Versailles. Adesso sono tornato da madame la duchessa du Maine. Zirphe[1] e stata rappresentata con grand' applauso, ed habbiamo havuto comedie e balletti tutta la settimana. Faro lunedi la parte di Lusignan nella Zaira e poi si dara una piccola comedia del signor di Senneterre[2]. Madame la duchessa du Maine da la licenza a voi mia cara ed a tutti vostri amici di venire lunedi. Se volete farmi questa grazia, sara un gran stimolo per excitar mi ad adempire la parte di Lusignan. Mi rinerescera di piacer vi come vecchio, ma piacere e molto qualche sia l'eta. Vi baccio mille volte, dovreste venire colla signora Fontaine e co i vostri fedeli. Adio, vi vedero hoggi o domani.

Samedi

Chère, nous avons été entraînés dans différents tourbillons, je n'ai pas pu vous voir à Versailles. Je suis maintenant retourné chez madame la duchesse du Maine. La représentation de Zirphe[1] *a été très applaudie, et nous avons eu des comédies et des ballets toute la semaine. Je tiendrai lundi le rôle de Lusignan dans Zaïre et puis on donnera une petite comédie de monsieur de Senneterre*[2]*. Madame la duchesse du Maine vous accorde la permission à vous ma chère enfant et à tous vos amis de venir lundi. Si vous voulez me faire cette grâce, ce sera un grand stimulant pour m'exciter à remplir le rôle de Lusignan. Cela me ressuscitera de vous plaire en vieillard, mais plaire est une grande affaire quel que soit l'âge. Je vous embrasse mille fois, vous devriez venir avec madame de Fontaine et avec vos fidèles. Adieu, je vous verrai aujourd'hui ou demain.*

adressée à madame / madame Denis /

[1] c'est à dire, *Zélindor*, ballet héroïque par Paradis de Moncrif, avec musique de Rebel et Francœur; Voltaire l'appelle Zirphé d'après le personnage principal, joué par mme Du Châtelet dit-il (Best.3217) 'avec noblesse et grâce. Quatre mille diamants faisaient son moindre ornement. Allez, allez, laissons dire, les beaux arts sont honorés'.

[2] Henri Charles, comte de Séneterre.

87

[décembre 1747]

Mia cara, ieri andaï al diavolo e non ritornai se non doppo le tre ore della notte. Oggi sono un poco ammalato, e lo merito. Ho inviato a Sceaux a ricercare la grammatica che vi fu lasciata. Mi lusingo di veder la, malgrado della colica. L'amo e l'amero piu della vita mia.

Ma chère enfant, je suis allé au diable hier et je ne suis rentré qu'après trois heures du matin. Aujourd'hui je suis un peu malade et je le mérite. J'ai envoyé à Sceaux chercher la grammaire qu'on y laissa. Je me flatte de vous voir malgré la colique. Je vous aime et vous aimerai plus que ma vie.

adressée à madame / madame Denis /

88

(12 obre 1745)

Usciva dal letto mia cara quando mi fu resa la vostra lettera, erano le cinque ore doppo il mezzodi. Non dormo piu, e vi scrivo a cinque ore della notte. Si rapresentera la prude, il venerdi dell'altra settimana, cioe il quinto decimo di decembre. Venite mia cara, e siate La mia giudice. Vorrei che il vostro fratello potesse vederla. Lo potra senza periglio, nessuno lo conosce qui. Venite con tutti amici vostri e con tutta la vostra famiglia. Ma mi luzingo d'abbraciar vi prima che venga questo gran giorno di facetie. Vi amo mia cara piu che tutte le comedie, e piu che ogni altro solazzo.

A Sceaux le sept [décembre 1747]
au matin avant de me coucher

Je sortais du lit, ma chère enfant, quand votre lettre me fut rendue, il était cinq heures de l'après-midi. Je ne dors plus, et je vous écris à cinq heures du matin. On donnera la Prude vendredi de la semaine prochaine, c'est à dire le 15 décembre. Venez ma chère enfant et soyez mon juge, je voudrais que votre frère pût la voir. Il le pourra sans danger, personne ne le connaît ici. Venez avec tous vos amis et toute votre famille. Mais je me flatte de vous embrasser avant que n'arrive cette grande journée de divertissements. Je vous aime ma chère enfant plus que toutes les comédies et plus que toute autre consolation.

adressée à madame / madame Denis / rue du bouloir / à Paris /

Encore une fois la date de mme Denis est aussi fausse qu'elle est précise; *La Prude* fut donnée au Château de Sceaux le vendredi 15 décembre 1747.

89

Cara hier sera a l'undecima 'ora rivenni a casa colla febre, ma fu consolato colla vostra lettera. Oggi sono costretto d'andar fuori benche ammalato, e mi lusingo di ricuperar sta sera la mia salute presso di voi.

V.

martedi [1747/1748]

Chère, hier soir à onze heures je suis rentré avec la fièvre, mais votre lettre me consola. Aujourd'hui je suis obligé de sortir tout malade que je suis, et je me flatte de retrouver ce soir la santé auprès de vous.

mardi *V.*

adressée à madame / madame Denis / rue du bouloir /

90

[1747/1748]

Ier sera il signor Dargental m'ha rapito dalla mia solitudine, e m'ha condutto alla sua casa. Se io sto bene oggi, e se la mia musa non e di fuori mi lusingo di veder la, e di vedere anche un' poco della sua comedia.

Monsieur d'Argental m'a arraché hier soir à ma solitude et m'a conduit chez lui. Si j'ai de la santé aujourd'hui et si ma muse n'est pas sortie je me flatte de la voir et de voir aussi un peu de sa comédie.

adressée à madame / madame Denis /

91

[1747/1748]

Mia cara, je ne pouray encor sortir aujourduy; je seray consolé si sur les 6 heures vous voulez venir voir le plus languissant des hommes, et celuy qui vous aime le plus vivement. V.

adressée à Madame / Madame Denis /

Au dos mme Denis a minuté quelques répliques de sa pièce; nous les reproduisons intégralement (à part quelques mots biffés) comme échantillon et de son style et de son orthographe:

damon

vous ne le croiez pas mais cherchez de vins prétextes
pour vous eloigner de moi
vous me preferez Cleon vous voulez lepouser

clarice

vous ne scauez que trop combien vous me futes chere

damon

mais a me croire helas auriez vous tant de peine
si je vous etais cher non vous ne maimez pas

clarice

que ne dites vous vrai je le voudrais helas

damon

pour quoi donc me desespere lors que je vous adore

92

Je ne sçais mia cara si cette épitre que je vous adresse est digne de vous. Dites m'en votre avis, et renvoyez la moy pour la faire transcrire si vous l'aprouvez. Mi luzingo di veder vi sta sera se sete a casa. Vi baccio teneramente.

V.

vendredy [1747/1748]

...Je me flatte de vous voir si vous êtes chez vous ce soir. Je vous embrasse tendrement.

93

Come sta mia cara amica? non l'ho ancora veduta. Ma bramo di vederla ogni giorno, ogni hora.

V.

mercoledi [1747/1748]

Comment va ma chère amie? je ne l'ai pas encore vue. Mais je brûle de la voir chaque jour, à chaque heure.

V.

mercredi

adressée à madame / madame Denis / rue du Bouloy /

94

Luneville 1er février [1748]

Mia cara sono stato a Cirey, e da Cirey ecco il vostro errante amico a Luneville presso d'un Re, che non ha niente d'un re se non la bonta, e la grandezza d'animo. Ma quanto volontieri anteporrei il vostro camerino a tutte le corti! Havete finito il secondo atto della vostra comedia? che fate? vedete alcune volte il principe di Bauvau[1]? Lo credo inamorato di voi. Ho passato per la citta di Troyes, ma non ho potuto vedere il vostro fratello, andavamo troppo ratto, e non si puo tardare quando si fa viaggio con due donne. Mi dispiace molto di non haver potuto cenare col suo vescovo[2] e col vostro predicatore. Ma mi lusingo di veder li al mio ritorno. Ah quando si fara questo ritorno? Sono qui come i cigni; ho lieto nido, esca dolce (ed aura cortese, grazie al buon fuoco), sono allogiato nel palazzo; e la vita mia sarebbe felice se voi foste a Luneville, ma il destin' ci divide sempre. Ho tutte le sembranze della felicita, e sono sfortunato.

Spesso in poveri alberghi, e in piccol' tetti meglio s'aggiungon d'amicitia i petti. Sospiro la perdita del' vostro piccol tetto e sento ogni giorno che vi debbo consecrare gli ultimi giorni della mia vita, e doppo una prima vera di pazzia, una state di tempeste, un autumno languido, voi sola potrete addolcire la rigidita del mio inverno. Mi luzingo di riveder vi nel mese prossimo. Ma e ben certo che vi amero infino alla morte.

V.

Ma chère enfant j'ai été à Cirey, et de Cirey voici votre vagabond ami à Lunéville, auprès d'un roi qui n'a rien d'un roi sinon la bonté et la grandeur d'âme. Mais comme je préférerais infiniment votre boudoir à toutes les cours! Avez vous terminé le second acte de votre comédie? que faites vous? voyez vous quelquefois le prince de Bauvau[1]? Je le crois amoureux de vous. J'ai passé par la ville de Troyes mais je n'ai pas pu voir votre frère, nous allions trop rapidement et l'on ne peut pas retarder la course quand on voyage avec deux dames. Je suis très ennuyé de n'avoir pu dîner avec son évêque[2] *et avec votre prédicateur. Mais je me flatte de les voir à mon retour. Ah quand donc se fera ce retour? Je suis ici comme les cygnes, j'ai un bon nid, douce pitance (et une ambiance agréable, grâce au bon feu); je suis logé au palais; et ma vie serait heureuse si vous étiez à Lunéville, mais le destin nous sépare toujours. J'ai toutes les apparences du bonheur et je suis malheureux.*

C'est souvent dans de pauvres auberges et sous d'humbles toits que les cœurs s'adonnent le mieux à l'amitié. Je soupire après la perte de votre petit toit et je sens chaque jour que je dois vous consacrer les derniers jours de ma vie, et qu'après un printemps de folie, un été orageux et un automne languissant vous seule pourrez adoucir la rigueur de mon hiver. Je me flatte de vous revoir le mois prochain. Mais il est bien certain que je vous aimerai jusqu'à la mort.

V.

adressée à madame / madame Denis / rue du bouloir / à Paris /; *estampillée* LUNEV.

[1] Charles Juste de Beauvau, prince de Beauvau-Craon.
[2] Matthias Poncet de La Rivière.

95

[vers le 10 février] (1748)

Mia cara, le mando questa Semeramide la quale, benche sia un poco auvelenatrice é con tutto cio, é veramente una valente donna. Vi priego di legger la con attenzione e di dir mi se nel leggerla siete stata intenerita e spaventate. L'horrore e la compassione sono il grand' ordigno d'una tragedia. Vi baccio mille volte mia cara philosopha. La mia salute e sempre cattivissima. Lo spirito prompto e la carne inferma.

V.

Ma chère enfant, je vous envoie cette Sémiramis qui, bien qu'elle soit un peu empoisonneuse, est en vérité malgré cela une personne respectable. Je vous prie de la lire avec attention et de me dire si en la lisant vous avez été attendrie et épouvantée. L'horreur et la pitié sont le grand ressort d'une tragédie. Je vous embrasse mille fois ma chère philosophe. Ma santé est toujours très mauvaise. L'esprit est vif mais la chair est faible.

adressée à Madame / madame Denis /

Il est évident que cette lettre ne précède que de quelques jours celle du 15 février.

96

Mia cara dite mi il vostro parere sopra la Semiramide; la copia e ripiena d'errori, il mio cameriero ha scritto tre volte *bandeau* au lieu de *voile*, e vi sono molti versi stroppiati. Che dite della tragedia[1] di Marmontel? Le lettere di Parigi dicono che il successo cresce ogni giorno. Questa riuscita mi fa sentire un tanto piu grande giubilo, quanto piu a l'autore mancava la fortuna. La sua gloria è la mia giache vuole farmi l'onore di dedicar mi la sua tragédia. Questo suo disegno sara onorevole a la letteratura, e molto piu glorioso di dedicare le sue opere a un amico, a un letterato che ad un principe ignaro, o ad un illustre fachino. Vi priego di far cenar lo con voi e di dir gli quanto la sua intenzione e bella, e quanto il suo successo m'a rallegrato. Il mio camerier sa dove il Marmontel sta di casa, ma voi mia cara non mi lasciate ignaro del progresso dej vostri lavori. La natura, l'amor, le muse ci uniscono col piu bello el piu sodo vincolo. Credo che la vostra gentile comedia sia gia mezza fatta. O! quanto son desideroso di vedere L'opera e l'autore che baccio mille volte.

Luneville giovedi 15 februari (1751) [1748]

Ma chère enfant dites-moi votre impression sur Semiramis; la copie est remplie de fautes, mon domestique a écrit trois fois bandeau *au lieu de* voile, *et il y a beaucoup de vers estropiés. Que dites vous de la tragédie*[1] *de Marmontel? Les lettres de Paris disent que le succès augmente chaque jour. Cette réussite me fait éprouver une joie d'autant plus grande que l'auteur était sans fortune. Sa gloire est la mienne puisqu'il veut me faire l'honneur de me dédier sa tragédie. Ce dessein sera honorable pour la littérature, il est bien plus glorieux de dédier ses œuvres à un ami, à un homme de lettres qu'à un prince ignorant ou à quelque illustre faquin. Je vous prie de l'inviter à dîner et de lui dire combien son intention est belle, et combien son succès m'a réjoui.*

Mon domestique sait où Marmontel demeure, mais vous ma chère enfant, ne me laissez pas ignorer les progrès de vos travaux. La nature, l'amour, les muses s'unissent du nœud le plus beau et le plus solide. Je crois que votre exquise comédie est déjà à moitié faite. Oh combien je désirerais voir l'œuvre et l'auteur, que j'embrasse mille fois.

jeudi 15 février

Inutile de souligner l'erreur qu'a faite mme Denis en datant cette lettre de 1751.

[1] *Denys le tyran*, représenté pour la première fois le 5 février 1748; Marmontel a dédié cette pièce, sa première, à Voltaire.

97

à Lunéville ce 1er mars (1747) [1748]

Ce sont des gens bien maladroits ma chère nièce, et je l'ose dire de mauvais citoyens que ceux qui prétendent qu'on est exilé pour une plaisanterie innocente et même pleine de morale[1]. Le roy est trop juste, trop éclairé, et trop bon pour donner des lettres de cachet aussi légèrement que ces messieurs. Mais que font par là ces bonnes gens? Ils avertissent qu'on peut exiler qui on voudra sans aucun prétexte, et que les lettres de cachet seront très bien venues. Ils mériteroient d'en faire L'épreuve.

Rien n'est plus faux que j'aye écrit à madame la dauphine[2]. Cette lettre dont je vous envoye la copie fut écritte il y a plus de deux ans à une princesse qui tient sa cour à quelque quatre cent lieues d'icy. La Reine qui a vu cette lettre est bien loin d'en être fâchée, et Le Roy de Pologne son père qui m'a fait l'honneur de m'inviter à venir à sa cour, et qui me traitte avec les bontez les plus distinguées n'en useroit pas ainsi si j'étois disgracié à la cour de France.

Les gens qui seroient bien aises que je fusse exilé seront donc bien fâchez quand ils apprendront que Le Roy vient de me faire une nouvelle grâce en me faisant don d'une année des apointements de ma charge écoulée depuis la mort de mon prédécesseur jusqu'au jour de ma réception. C'est monsieur Philippe qui a eu le premier cette idée. Ainsi vos amis me servent, et le roy me donne des marques nouvelles de sa protection quand mes ennemis m'exilent. Je ne suis pas trop à plaindre avec l'envie des sots, les faveurs des rois et les douceurs de L'amitié. Mon bonheur sera parfait ma chère enfant vers le 20 de mars où je vous reverray, et où je m'arracheray à la cour charmante où je suis. Car vous savez que je vous aime encor mieux que les rois les plus aimables.

V.

adressée à madame / madame Denis / rue du Bouloir / à Paris /; *estampillée* LUNEV.

Mme Denis s'est encore trompée: le 1er mars 1747 Voltaire était à Paris ou à Versailles.

[1] quelques paroles adressées par Voltaire à mme Du Châtelet, qui perdait au jeu à Versailles.

[2] pour nuire à Voltaire on répandait comme étant adressée à la dauphine une lettre (Best.2883) de Voltaire dans laquelle il faisait la cour à Louise Ulrique, princesse royale de Suède, sous la forme d'un rêve — lettre du reste dont la sœur du roi de Prusse se sentait flattée (voir sa réponse, Best.2941).

98

Ma chère enfant je ne sçai plus quand je reviendray. J'avois déjà fait partir mes petits ballots; ils doivent être à Paris, et me voicy arrêté à Lunéville par La maladie de madame de Bouflers[1]. Il y a huit jours qu'elle a la fièvre, nous ne pouvons pas l'abandonner. Je suis icy sans robe de chambre, sans chemises, et qui pis est, sans livres, attendant la convalescence de madame de Bouflers pour venir vous revoir. Peutêtre partirons nous dans trois ou quatre jours, peutêtre dans quinze. Je suis absolument incertain de mon sort. La vie de Lunéville est d'ailleurs charmante, mais rien n'est au dessus du bonheur de vivre avec vous. Deux choses me manquent pour être heureux, vous et la santé; que ne pui-je retrouver incessamment l'un et l'autre? mais surtout vous qui m'êtes bien plus nécessaire.

V.

à Luneville 3 avril (1748)

adressée à madame / madame Denis / rue du bouloir / à Paris /; *estampillée* LUNEV.

[1] Marie Françoise Catherine de Beauvau-Craon, marquise de Boufflers-Remiencourt; ces perpétuels délais résultaient sans doute des maladies de mme de Boufflers, mais ses amours et celles de son amie intime mme Du Châtelet y avaient leur part.

99

Je compte bientôt vous retrouver, ma chère enfant. Nous partirons le 25[1]. Mi lusingo di vedere, vostra comedia e vostra persona in buon stato, di bacciar L'una, e di batter de mani all'altra. Sono veramente mandato in esilio. Tutti i favori del re di Polonia non possono parangonare il piacere della vostra conversatione, e non me credero felice se non quando vi rivedero. Adio, cara, state bene ed amate un poco chi vi amera molto tutta la sua vita.

V.

Luneville 20 mars (1747) [1748]

...Je me flatte de voir votre comédie et votre personne en bon état, d'embrasser l'une et d'applaudir l'autre. Je suis envoyé véritablement en exil. Toutes les faveurs du roi de Pologne ne peuvent égaler le plaisir de votre conversation et je ne me croirai heureux que quand je vous reverrai. Adieu chère, portez-vous bien et aimez un peu celui qui vous aimera beaucoup toute sa vie.

V.

adressée à madame / madame Denis / rue du bouloir / à Paris /; *estampillée* LUNEV.

[1] ce n'est qu'une quinzaine de jours plus tard qu'il put amener mme Du Châtelet à quitter la cour pour Cirey.

100

à Cirey ce 29 avril (1746) [1748]

Ma chère enfant me voylà du moins à moitié chemin de Paris. Nous resterons icy huit ou dix jours aulieu de deux, car les affaires sont toujours plus longues qu'on ne croioit. Je revois avec plaisir ce châtau où vous avez été quelques jours, mais Paris ne me plaira que parce que je vous y retrouveray. Vous savez peutêtre que madame du Chastelet a réussi à faire son mary commandant de Lorraine[1]. Sa fortune probablement n'en demeurera pas là. Elle a trouvé dans son voiage l'agréable et L'utile. Pour moy qui ne vis que pour l'agréable j'attends avec bien de L'impatience le moment de vous rejoindre. Le roy de Pologne m'a reçu àpeuprès comme me recevoit le roy de Prusse. Les rois ne m'ont pas gâté. Je vous préfère assurément à tout tant qu'ils sont. Je vous embrasse mille fois ma chère enfant avec la plus vive tendresse.

V.

adressée à madame / madame Denis / rue du bouloir / à Paris /; *endossée* Vuassy

Mme Denis a d'abord écrit 1747, puis 1746; mais c'est en 1748 que Voltaire et mme Du Châtelet, ayant quitté Lunéville et passé les derniers jours d'avril et les premiers de mai à Cirey, arrivaient à Paris vers le milieu du mois.

[1] non sans une lutte féroce contre la partie polonaise de la cour de Stanislas.

201

Se avete qualche cosa da condonar mi, mia carissima, perdonate la mia indegna trascurragine nel darvi sodi testimonii della mia tenera ed eterna amicizia. Voi siete l'unico bersaglio di tutte le mie mire, e mi luzingo che fra qualche tempo saro piu felice. Voi fate la mia consolazione e non ho altro desiderio che di rendervi felice nella mia vita e doppo la mia morte. Vi amero sempre, e teneramente sino a questo giorno dove la legge della natura, separa cio che la natura e l'amore hanno unito. Amiamo ci insino a questo momento. Vi baccio mille volté.

dominica 22 maggio (1748)

Si vous avez quelque chose à me pardonner, ma très chère enfant, excusez mon indigne négligence à vous donner des témoignages solides de ma tendre et éternelle amitié. Vous êtes l'unique cible de tous mes regards, et je me flatte que dans quelque temps je serai plus heureux. Vous faites ma consolation et je n'ai pas d'autre désir que de vous rendre heureuse pendant ma vie et après ma mort. Je vous aimerai toujours et tendrement, jusqu'à ce jour où la loi de la nature sépare ce que la nature et l'amour ont uni. Aimons-nous jusqu'à cette heure. Je vous embrasse mille fois.

Dimanche 22 mai

adressée à madame / madame Denis /

102

[?mai/juin 1748]

Gareggiava con Phebo, il vago amore,
Di *Dionisa* a tutti i dei cara,
volea ciaschedun' restar signore.
amor termino cosi la gran' gara,
Lo spirto poggi col dio dell'arte:
il tenero cor sia la mia parte.

Vi rimando, cara, j vostri leggiadri versi francesi, coll'opera di Pandora; ben conviene d'esser giudice, a chi opra cosi bene. Vi baccio mille volte.

Il rivalisait avec Phœbus, l'amour plein de désir, de Denise chère à tous les dieux, chacun voulait demeurer le maître. L'amour mit ainsi fin au combat, le malin s'allia au dieu des arts: que le tendre cœur soit ma part.

Je vous renvoie, ma chère enfant, vos charmants vers français avec l'opéra de Pandore. Il appartient bien d'être juge à qui travaille si bien. Je vous embrasse mille fois.

Composé en 1740, mais jamais représenté, *Pandore* fut publié pour la première fois en 1748.

103

Ma chère enfant je vous renvoye Denis et j'y joins la milanaise que j'ay pour vous depuis si longtemps. Je pars dans l'instant pour Versailles. Je vous conjure en partant de courir chez m[e] Dubocage, elle est l'amie du premier président de Rouen[1], et j'ay besoin de ce magistrat pour l'affaire que voicy.

On vient d'imprimer à Rouen en 11 ou 12 volumes un receuil de mes prétendus ouvrages remplis d'ouvrages infâmes, de libelles diffamatoires, de pièces impies. Cela est horrible, et cela demande la perquisition la plus exacte, et la justice la plus sévère. Je me flatte que madame du Bocage voudra bien écrire au 1er président de la manière la plus forte. Bon soir mia cara musa.

lundy [10] (mai [juin] 1748)

adressée à madame / madame Denis /

La date de cette lettre est fixée par d'autres (Best.3253-3256) où Voltaire se plaint de la même édition.

[1] Camus de Pontcarré.

104

Je ne pouray vous voir aujourduy ma chère enfant. Tous mes jours ne sont pas des jours de consolation. Il y en a de consacrez au chagrin des afaires, à celuy des devoirs. Demain je me flatte de voir celle dans la quelle mon âme se repose et qui seule fait la douceur d'une vie condamnée aux soufrances mais que vous me faites aimer.

V.

lundy (1738) [1748]

adressée à madame / madame Denis /

L'année 1738 étant impossible, on ne peut que supposer que c'est un simple lapsus pour 1748.

105

Carissima anima mia, la mia vita è il diario d'un infermo. Sono stato assalito d'un grave raddopiamento di dolori. E non ho goduto due hore di sanita dal tempo che sono a Versailles. Non h'o maï tanto patito, e se questo mio crudele stato inacerbisce un poco, perderete il piu tenero el piu fedele amico. La voglia di vivere con voi, mi fa soffrir la vita la quale mi sarebbe un grave peso se non fosse alleviato dalla vostra verso di me benevolenza. Amate me. Mi lusingo di veder vi giovedi, se saro ammalato, vi bacciero le vostre belle mani, se sano, la vostra bocca. Adio, vi amero insino alla morte.

Domenica [juin] (1748)

Ma très chère âme, ma vie n'est que le journal d'un malade. Un sérieux redoublement de douleurs m'a assailli. Je n'ai pas joui de deux heures de santé depuis que je suis à Versailles. Je n'ai jamais souffert autant et si ce cruel état empire encore un peu vous perdrez le plus tendre et le plus fidèle ami. L'envie de vivre avec vous me fait supporter une existence qui me semblerait un lourd fardeau s'il n'était allégé par votre bienveillance à mon égard. Aimez-moi. Je me flatte de vous voir jeudi; si je suis malade je baiserai vos belles mains et si je suis bien votre bouche. Adieu, je vous aimerai jusqu'à la mort.

Dimanche

adressée à Madame / madame Denis, rue du / Bouloir / à Paris /; *estampillée* DE VERSAILLES

106

à Commercy, 19 juillet (1749) [1748]

Ma chère enfant j'ay compté de jour en jour revenir vous voir. Je devois aller à Compiègne et de là à Paris. Je me faisois la plus douce des consolations de vous embrasser, et de vous demander des nouvelles d'un ouvrage au quel je m'intéresse comme à votre enfant. Il est bien à vous celuy là. Vous acouchez sans que les autres êtres s'en mêlent, comme Minerve; ce n'est pas Linant qui vous fait ces enfans là. J'aurois embrassé mille fois la mère, et lu et relu ce que vous avez fait. Une maladie à la quelle je ne suis que trop condamné et qui a renouvellé toutte sa violence m'a retenu et me retiendra encor longtemps. Je ne verray ny vous ny Semiramis ny la Dame à la mode, dumoins de longtemps. L'état où je suis est cruel. Il n'y a ny plaisir ny travail pour moy, et je suis privé de vous. En vérité je sens que je n'ay pas encor longtemps à vivre. Sera t'il dit que je ne passe pas avec vous les derniers temps de ma vie, et que je n'aye pas la douceur de la finir dans vos bras? Ecrivez moy, consolez moy, mon cœur a plus besoin de vos lettres que mon corps de médecins.

V.

adressée à Madame / Madame Denis / rue du Bouloir / à Paris /; *estampillée* DE COMMERCY

Cette lettre est bien de 1748, et non de 1749.

107

à Commercy ce 27 [juillet] (1748)

Ma chère enfant j'ay bien de la peine à revenir, malgré le plus austère régime. Passe encor si on n'étoit puni que de ses fautes, mais n'avoir rien à se reprocher et soufrir, questo e L'diavolo. Venons à votre affaire. Elle m'intéresse plus que ma santé. Faut il que nous ne vivions pas ensemble et que je ne puisse vous tenir lieu de votre commandant de Lile? Je feray je vous le jure un violent sacrifice quand il faudra contraindre mon cœur à vous laisser aller en Flandres. Je seray réduit à souhaiter que ce commandant là, laisse bientôt une place vacante. Je ne me consoleray qu'en cas que son testament suive de près son contrat de mariage. Au reste je m'en raporte sur la conclusion à votre prudence. Vous ne ferez rien sans être bien assurée d'un grand avantage. Eh bien ma chère enfant j'iray vous voir dans votre royaume. Mais votre transpla[n]tation sera t'elle si prochaine? Je me flatte que ma santé me permettra de venir vous voir bientôt à Paris. Vous serez la seule raison de mon voiage. Semiramis en sera le prétexte en cas qu'elle ait quelque succez. Le roy a la bonté de me donner une décoration qui coûtera quinze mille francs. Autant j'en suis flatté autant je crains que cette distinction n'éguise les dents de l'envie. Je crois qu'au moins la pièce sera bien jouée. Il faudra que vous en voiyez une répétition avec votre vieux commandant prétendant. Faites moy ce plaisir ma chère enfant, et dites moy votre avis sur cette décoration, et sur le jeu des acteurs. Vous me parlez de ce petit ouvrage que je vous ay lu en manuscript. Savez vous bien que Crébillon l'avoit refusé à L'aprobation comme un ouvrage dangereux? Ce pauvre homme a perdu le peu de raison qu'il avoit. Je crois que depuis m^r Palu, intendant de Lyon, l'a fait imprimer, et peutêtre y en a t'il àprésent des exemplaires à Paris. Mais le monde est aussi tiède sur les panégiriques que Crebillon est déraisonable, et probablement cette Brochure n'étant pas annoncée n'aura pas grand cours. Tenons nous en à Semiramis et qu'elle réussisse. Je vous la recomman[de]. Si elle est bien reçue à la première represe[n]tation, vous me verrez probablement à la quatrième. Je dois d'ailleurs remercier le Roy. Mais je ne viendray que pour vous e se il povero stato della mia salute me lo permesse mi gittarai alle vostre genochia e baccarei tutte le vostre Belta. In tanto io figo mile baccii alle tonde poppe, alle transportatrici natiche, a tutta la vostra persona che m'ha fatto tante volte rizzare e m'ha annegato in un fiume di delizie.

...et si le malheureux état de ma santé me le permet je me jetterai à vos genoux et je baiserai toutes vos beautés. En attendant j'applique mille baisers aux seins ronds, aux fesses transportantes, à toute votre personne qui m'a fait tant de fois bander et m'a plongé dans un fleuve de délices.

adressée à madame / madame Denis / rue du bouloir / à Paris /; *estampillée* DE COMMERCY

108

à Commercy ce 8 aoust (1749) [1748]

Ma chère enfant votre commandement de Lile m'inquiète plus que le commandement de Lorraine. Quel party prendrez vous? Je n'ose vous en conseiller aucun. Tout ce que je sçai, c'est que je seray très affligé si vous quittez Paris, et que je n'aurai plus de consolation. Je serai auprès de vous les premiers jours de septembre. Je voudrois y être àprésent. Un bon douaire, et une situation plus honorée dans le monde sont des tentations aux quelles je vous diray de succomber quoy qu'il en coûte à mon cœur. Du moins le vieux et impertinent Laporte[1] verra commandante celle qu'il n'a pas voulu voir fermière, et c'est encor une raison peutêtre. Car on fait bien des choses pour les sots. Enfin vous vous déciderez entre votre philosofie et un peu d'ambition, et je souscriray à tout comme un homme qui vous aime uniquement et qui sait s'oublier pour vos intérêts. Aulieu de faire la femme à la mode, vous serez la femme à la mode; vous vous marierez contre votre inclination. Ma chère enfant je jette sur cela mon bonnet par dessus les moulins et je me résigne à votre volonté. Je vous aimeray plus que ma vie quelque party que vous preniez.

Je ne sçai rien de Semiramis. Peutêtre que Les décorations et les habits demandent plus de temps qu'on ne croyoit. Peutêtre serez vous mariée avant que Semiramis soit jouée. Adio mia cara, ma santé est affreuse. On dit qu'il y a icy beaucoup de plaisir. Nous y avons mademoiselle de la Roche sur Yon[2], on luy donne des opéra et des comédies. Commercy est admirable par la nature et par l'art. Le roy y rend tout le monde heureux, mais il faut de la santé pour jouir de tout cela. Ecrivez moy souvent je vous en conjure et songez que vous êtes ma seule consolation.

V.

adressée à madame / madame Denis / rue du bouloir / à Paris /; *estampillée* DE COMMERCY

Les allusions au commandant de Lille ne laissent aucun doute que cette lettre soit de 1748, et non de 1749.

[1] biffé par mme Denis.

[2] Louis Adélaïde de Bourbon-Conti, dite mademoiselle de La Roche-sur-Yon.

109

Me voicy à Lunéville ma chère enfant. J'espère toujours vous embrasser les premiers jours de septembre si notre ombre[1] n'est pas siflée. Je raisoneray avec vous sur votre citadelle de Lile, et je seray au désespoir de vous voir quitter Paris, mais je vous donnerai la main pour monter en carosse, et je signeray votre contract avec la plus grande résignation et la plus vive douleur. Que ne pui-je passer avec vous le reste de ma vie dans la plus vilaine citadelle du royaume à Perpignan, ou à notre dame de la garde? Je préférerois ce séjour à celuy de la cour la plus brillante. Ma santé me désespère. Mais L'idée de vous perdre m'anéantit. Je n'ay guères le courage de vous parler de Semiramis. Mais puisque vous L'aimez je m'y intéresse. Le crêpe noir est ridicule. Il faut un habit guerrier tout blanc, une cuirasse bronzée, une couronne d'or, un sceptre d'or, et un masque tout blanc comme dans la statue du festin de Pierre. Je vous prie de communiquer cette idée, et de ne pas permetre que L'ombre porte le deuil d'elle même.

Mais comment m'habillerai-je moy? Je suis plus ombre que Ninus. Mon état va de mal en pis. Pourquoy ne pas achever le reste de ma vie auprès de vous? Adieu, je vous embrasse mille fois.

ce 15 [août] à Lunéville (1748) V.

adressée à Madame / madame Denis, rue du / bouloir / à Paris /; *estampillée* LUNEV.

Cette lettre était déjà connue en fragment (Best.3279): nous l'avions datée vers le 20 août 1748.

[1] de Ninus, dans *Sémiramis*.

110

[septembre] (1748)

Mia cara, torno a casa, stanco, ammalato, distrutto. Non ho dormito da tre notti, mi carico. Domani vivo o morto staro con voi. Vi amo, vi amero tutta la mia vita. Siete il porto dell'anima mia tormentate di procelle. In voi e il mio riposo, e la sola vera felicita. Bramo di vedere la vostra comédia piu capricciosemente che non havete voglia di mostrar me la. Adio mia musa, adio.

V.

Ma chère enfant, je rentre chez moi fatigué, malade, anéanti. Je n'ai pas dormi de trois nuits, je m'accuse. Demain, mort ou vif je resterai avec vous. Je vous aime, je vous aimerai toute ma vie. Vous êtes le port de mon âme en proie aux tempêtes. En vous est mon repos et le seul vrai bonheur. Je brûle de voir votre comédie et mon désir est plus capricieux encore que votre envie de me la montrer. Adieu ma muse, adieu.

V.

adressée à madame / madame Denis / rue du bouloir /

111

(1748)

Si cara — cara si, vi vedero oggi sera. Io patisco molto, sono oppresso, vinto da j dolori ma ritrovero presso di voi la mia salute, la mia vita.

Oui chère, oui, je vous verrai ce soir. Je souffre beaucoup, je suis oppressé, je succombe à mes douleurs mais je retrouverai auprès de vous ma santé, ma vie.

adressée à madame / madame Denis /

112

Venne dunque troppo tardo la mia cara! e cosi fu privo del mio piu gran' piacere; ma perse ella un bel trattenimento, e credo che sarebbe stata contenta. Mi luzingo che non avra percio La svogliatezza, che questo mancamento potrebbe creare nel suo animo, et che si compiacera di venire sabbato a buon'ora. L'aspetto col piu vivo desiderio. Adio cara, vi amero sempre di tutto L' mio core.

mercoledi (1748) V.

Ma chère enfant est donc venue trop tard! et ainsi j'ai été privé de mon plus grand plaisir! mais elle a perdu un beau divertissement, et je crois qu'elle aurait été contente. Je me flatte que ce contretemps n'aura pourtant pas fait naître de répugnance en son esprit et qu'elle voudra bien venir samedi de bonne heure. Je l'attends avec le plus vif désir. Adieu chère enfant, je vous aimerai toujours de tout mon cœur.

mercredi

adressée à madame / madame Denis / rue du bouloir / à Paris /

113

Mio bene, soffri mercoledi, soffro oggi. Ma voglio aver cura della mia salute, a riguardo di veder la domani e di cenar con ella. Sono affanato di dolori e di lavoro. Spero d'esser felice domani. I miei bei giorni sono pur quelli che jo puo trapassare colla mia virtuosa e cara amica che amo ed amero sempre.

sabbato (ce 1748)

Ma bien-aimée, j'ai souffert mercredi, je souffre aujourd'hui. Mais je veux prendre soin de ma santé dans l'espérance de vous voir demain et de dîner avec vous. Je suis accablé de douleurs et de travail. J'espère être heureux demain. Mes beaux jours sont pourtant ceux que je peux passer avec ma chère virtuose et amie que j'aime et aimerai toujours.

samedi

adressée à madame / madame Denis /

114

(1748)

Siamo dunque uniti ancora, nel patire de' dolori colici. Sono incolerito contra la natura che fa soffrire il vostro gentil' corpo, ma Le perdono quando mi fa sentire il medesimo male, e mi concede alcuna somiglianza con voï. Ho avuto mille facende, e sono stato ammalato. Ma niente m'impedira di venir da voi fra poche 'ore.

V.

Nous sommes donc unis encore, à souffrir de douleurs coliques. Je suis fâché contre la nature de ce qu'elle tourmente votre aimable corps mais je lui pardonne quand elle m'afflige du même mal et qu'elle me donne quelque ressemblance avec vous. J'ai eu mille affaires et j'ai été malade. Mais rien ne m'empêchera de venir vous voir dans quelques heures.

V.

115

(1748)

La ringrazio mia cara amica. Non posso leggere le vostre note ma le faro cantare, e mi luzingo di sentire la vostra musica con quella del Ramau. Vi amo ed amero sempre. V.

Je vous remercie ma chère amie. Je ne puis pas lire vos notes mais je les ferai chanter, et je me flatte d'écouter votre musique avec celle de Rameau. Je vous aime et vous aimerai toujours. V.

adressée à madame / madame Denis /

116

(1748)

I miei dolori colici non mancheranno oggi di venir' a riverire la vostra febre. Piaccia al gran dio damore che la vostra indispositione non sia grave. Vi ringrazio mille volte mia cara per la cortesia e le premure collequali, il vostro amico ha scritto in mio favore al signor Maynard. Pigliate cura di voi se m'amate.

Mes douleurs coliques ne manqueront pas aujourd'hui de venir présenter leurs respects à votre fièvre. Qu'il plaise au grand dieu d'amour que votre indisposition ne soit pas grave. Je vous remercie mille fois ma chère enfant pour la courtoisie et l'empressement avec lesquels votre ami a écrit en ma faveur à monsieur Maynard. Prenez soin de vous si vous m'aimez.

117

à Luneville ce 26 sept[b] (1747) [1748]

Ma chère enfant plus ma santé revient et plus je vous regrette. Quand je me porte mal je voudrois mourir dans vos bras, et quand la santé m'est rendue je voudrois vivre avec vous. On dit que Semiramis ne se porte pas mal malgré les cabales qui l'ont voulu tuer. Mandez moy donc des nouvelles de la citadelle de Lile, et de la comédie de la femme à la mode[1]. On me fait jouer icy la comédie à moy. Je joue aujourduy un rôle ridicule à manteau dans une mauvaise pièce intitulée l'étourderie[2]. Il y a icy bien des plaisirs mais il n'y en [a] aucun qui aproche du bonheur d'être auprès de vous. Vi baccio mille volte.

V.

adressée à madame / madame Denis, rue du / bouloir / à Paris /

L'allusion à *Sémiramis* nous donne la preuve qu'une fois encore mme Denis s'est trompée.

[1] de mme Denis.
[2] de Barthélemy Christophe Fagan de Lugny.

118

4 octobre (1748)

Que vous me négligez ma chère enfant! Si c'est pour la femme à la mode, je vous pardonne, ma mia cara perche lasciar mi affatto? Nous voiageons continuellement. Nous voici à la Malgrange[1], demain à Commercy, de là à Lunéville. Ecrivez moy toujours à la cour du roy de Pologne en Lorraine. Mais m'écrirez vous ma chère paresseuse? Où êtes vous, que faites vous? N'avez vous rien à me dire sur votre comédie, sur vos amusements, sur votre cœur, sur la citadelle de Lille? Je passe ma vie à ruminer comment je pourois faire pour passer avec vous le reste de ma vie. Ecrivez moy du moins. Songez que mon cœur est à vous et qu'il y sera jusqu'au dernier soupir de ma vie.

V.

adressée à Madame / madame Denis / rue du bouloir / à Paris /; *estampillée* DE NANCY

L'année ajoutée par mme Denis n'est pas très lisible: il n'est pas du tout certain qu'elle ait écrit 1748; mais puisque c'est la bonne date, qu'elle bénéficie du doute.

[1] maison de plaisance du roi Stanislas.

119

Come va il vostro drama? che fate mia cara? Si vous m'écrivez adressez vos lettres à Lunéville. J'y vais dans quelques jours. Serez vous assez aimable pour me consoler de votre absense par la lecture de votre ouvrage? Vous avez là quatre ou cinq enfans charmants qui me feroient souvenir de leur mère si je ne pensois pas à elle, et qui sont mes plus chers parents. Voyez si vous pouvez m'envoier cette belle famille. Nous sommes icy dans un pays tranquile qui ne fournit ny vers ny nouvelles. Vous qui êtes à la source de tout cela, ayez pitié de nous. Adio mia cara, vi amo teneramente.

V.

ce i3 [octobre] (1747) [1748] à Commercy

adressée à madame / madame Denis / rue du bouloir / à Paris /; *estampillée en rouge* DE COMMERCY

La date endossée par mme Denis est fausse; d'après les indications données par Voltaire cette lettre peut être d'octobre 1748 ou de juillet 1749, et puisqu'il est question de la pièce de mme Denis c'est la première de ces deux dates qu'il faut retenir.

120

A Lunéville ce 2i oct^bre (1745) [1748]

Ma chère enfant si notre archevêque interdit la prédica au frère, il n'empêchera pas la sœur de faire une comédie; et je croi qu'une comédie vaut bien un sermon. Peutêtre aussi l'archevêque pense que les sermons d'un abbé Mignot qui me paroit dessalé, pouroient bien au fonds être des comédies. Vous verrez qu'on ne veut permettre de précher qu'aux bonnes gens bien persuadez de ce qu'ils disent. Je n'ay pas opinion de sa vocation pour le séminaire. Il se poura bien faire que quelque matin, il luy prenne un bon accez de philosofie, qui luy fera brûler son rabat et sa somme de s^t Tomas et en fera un homme aimable, libre et indépendant, ce qui n'est point du tout un méchant lot.

Je vis toujours ma chère enfant dans l'espérance de vous embrasser au mois de décembre. Si vous retouchez votre troisième acte, je corrige mon cinquième. Je travaille tous les jours à Semiramis. Il y a toujours à refaire à une pièce de téâtre. En vérité c'est une affaire plus grande qu'on ne croit. Mais mon affaire la plus intéressante est de revenir auprès de vous. Je vous embrasse bien tendrement.

V.

adressée à madame / madame Denis / rue du bouloir / à Paris /; *estampillée* LUNEV.

Mme Denis a écrit d'abord 1747 et ensuite 1745, ce qui est également faux: la lettre ne peut être que de 1748; Voltaire en effet corrigea *Sémiramis* pour la reprise, et non pour la première représentation.

coma va il vostro drama ! che fate
mia cara ! si vous m'ecrivez adressez
vos lettres a lunéville . j'y vais dans
quelques jours . serez vous assez aimable
pour me consoler de votre absense
par la lecture de votre ouvrage ! vous
avez la quatre ou cinq cent enfans
charmants qui me feroient souvenir
de leur mere si je ne pensois pas a elle,
et qui sont mes plus chers parents
voyez si vous pouvez m'envoier cette
belle famille . nous sommes icy dans
un pays tranquile qui ne fournit ny vers
ny nouvelles . vous qui etes a la source
de tout cela, ayez pitié de nous
adio mia cara vi amo teneramente

ce 13 a commercy 1747 V

121

à Luneville 28 oct^b (1746) [1748]

Ma chère enfant je vous ay écrit, et je serois fâché que ma lettre fût perdue. Il faudra donc que notre abbé braille en chaire. Soit si cela peut luy faire avoir quelque bénéfice par m^r de Mirepoix[1] mon cher amy, qui est luy même un si grand prédicateur. Quand aurez vous fait huit comédies, comme il a fait 8 sermons? Mon sermon de Semiramis a été fort bien reçu à Fontainebleau[2]. La première nouvelle que j'en ay eu a été par la reine qui l'a mandé au roy son père. J'ay obtenu qu'on ne jouast point la parodie à la cour et si je me donne un peu de mouvement je pourai bien obtenir qu'on ne joue pas cette sottise à la ville. Ce n'est pas que je ne méprise ces sottises, faittes pour la canaille, mais c'est un abus déshonorant pour la nation que je voudrois abolir, et je ne seray pas fâché de montrer à mes ennemis que j'ay autant de crédit qu'eux, et de les priver de ce vain et misérable triomphe. Vous m'aprenez que M. le duc de Richelieu est maréchal de France. Je le souhaitte, et je voudrais surtout qu'il ne le fût pas luy dixième ou onzième.

On m'avoit mandé que monsieur le comte Dargenson se portoit mieux. Je savois le sort de Mégare. Je connois le père. Il ne peut guère faire que de pareils enfans. Je vis toujours dans l'espérance de troquer au commencement de décembre au plus tard ma cour de Lunéville contre la vôtre. Adieu ma chère enfant, je vous embrasse mille fois.

V.

adressée à madame / madame Denis / rue du bouloir / à Paris /; *contresignée* 'de Blamont'.

Inutile de souligner que cette lettre est de 1748, et non de 1746.

[1] Boyer, évêque de Mirepoix, ennemi acharné de Voltaire.

[2] Voltaire avait d'abord écrit 'Versailles'.

122

Mia cara voicy une nouvelle édition de ce panégirique[1]. Il paroit que le roy et ma prose réussissent mieux en province qu'en Paris. Voicy encor de petits versiculets[2] à M. de Richelieu qui pouront vous amuser. Voyez combien de rogatons je vous envoye, et vous ne m'écrivez point. Je vous aime pourtant bien tendrement et je vis toujours dans la douce espérance de vous embrasser au mois de décembre. Je vous recommande la femme à la mode. Adio mia cara musa. Vo baccio teneramente.

V.

à Lunéville ce 22 novembre (1747) [1748]

[1] ce n'est pas en 1747 mais en 1748 que parut ce *Panégyrique de Louis XV* dont on connaît au moins cinq éditions de cette même année.

[2] c'est l'*Epître au duc de Richelieu à qui le sénat de Gênes avait érigé une statue*; elle est datée du 18 novembre 1748.

123

ce 12 [décembre] (1746) [1748] à Lunéville

J'ay été bien malade ma chère enfant depuis que je ne vous ay écrit. Je ne pars plus qu'à noël. Je vous avoue que je suis pénétré de chagrin d'être si longtemps loin de vous, mais voylà qui est arrangé, et il faut me soumettre à ma destinée. Je vous prie d'envoyer chercher, cet homme nommé Richemont qui demeure à l'hôtel de Medoc sur le quay des Augustins. Vous vous souvenez qu'il vous a donné sa parole de supprimer les exemplaires de cette abominable édition de Rouen qu'il a dit il en dépost. Il devoit s'acquiter de sa promesse à mon retour au mois de novembre. Je vous prie de luy dire que je ne seray à Paris qu'au mois de janvier, et que vous comptez toujours sur sa parole d'honneur.

Une chose qui m'intéresse bien davantage c'est le Denis de notre amy Marmontel. Je ne l'ay point reçu. J'ay passé trois ou quatre jours à la Malgrange à la suitte du roy de Pologne. On m'a dit que pendant ce temps là, il étoit venu un paquet considérable par la poste à Lunéville à mon adresse, et que ce paquet avoit été renvoyé à Paris par ce qu'il y a ordre de renvoyer tous les gros paquets qui ne sont pas contresignez. Je soupçonne que c'étoit un paquet de *Denis*. Ceux qui m'en ont privé sont pour moy de plus grands tirans que ce sicilien. Le nom de Denis m'est bien cher, et il n'y a rien que je ne donnasse pour voir tout ce qui porte ce nom. Ma chère enfant je vous suplie de vous en éclaircir. J'ay peur encor qu'il n'y ait dans ce paquet une lettre de Marmontel. Je vous demande en grâce de l'instruire de ce quiproquo et surtout de l'assurer de mes plus tendres remerciments et de mon inviolable amitié. Sa pièce a t'elle eu quelque succez à la reprise? Ne va t'on pas jouer Catilina? Un abbé de la Tour a fait une vie de Catilina pour servir de préface à la pièce de Crebillon et pour avoir son entrée à la comédie française[1]. Il croit que je la luy ay fait ôter et pour s'en vanger il apelle Crebillon le premier tragique du siècle, et il loue baucoup sa Semiramis. A la bonne heure, mais je serois bien fâché d'être loué ainsi.

Au reste ma chère enfant si vous voyez Marmontel je vous prie de luy dire qu'il ne faut pas qu'il m'écrive car je ne recevrois pas sa lettre à Lunéville. Je vais à Cirey passer quelques jours, et à noël enfin je pars pour Paris, où j'auray le plaisir de vous embrasser.

Cette lettre n'est pas de 1746, comme le veut mme Denis, mais de 1748.

[1] Voltaire a d'abord écrit 'italienne'.

124

Me voicy à Cirey ma chère enfant et j'y resterai jusqu'aux rois[1]. J'ay reçu en arrivant votre lettre. Vous m'annoncez une grande nouvelle en me disant que je trouveray le cinquième acte fini. Que de choses j'auray à vous dire en prose et en vers! Je vous suis bien obligé d'avoir parlé à ce Richemond. L'édition de Dresde[2] vaut un peu mieux que la sienne. Je compte la mettre incessamment dans votre bibliotèque mais je commence à être las de mes ouvrages. Je ne m'intéresse plus qu'aux vôtres. Je serois plus content de voir votre pièce réussir, que je n'ay été flatté de tous les succez qu'on veut aujourduy me contester. Je viens de relire icy la Semiramis de Crébillon. Je souhaitte pour luy que son Catilina soit autrement fait et autrement écrit. Cette Semiramis est l'ouvrage d'un fou écrit par un sot. Il n'y a pas deux vers de suitte qui ayent le sens comun, et en général il n'y a guère de plus mauvais écrivain que luy. Cependant il se peut très bien faire qu'un mauvais ouvrage réussisse au téâtre. Nous en avons plus d'un exemple. Le temps seul règle les rangs. Il faut laisser aux erreurs du public le temps de passer, comme à un torrent.

Vous me ferez grand plaisir de me mander quel effet Catilina vous aura fait. J'auray tout le temps de recevoir icy votre lettre. Souvenez vous je vous en prie d'écrire à Cirey par Vassy en Champagne.

Voulez vous en attendant vous amuser de cette petite épitre au président Hénaut? L'aimez vous mieux que celle au duc de Richelieu? Quand vous aurez achevé vos cinq actes c'est à vous que je veux dédier la meilleure de mes épitres. Adieu, il y a du monde dans ma chambre. Je ne vous écris pas comme je voudrais. J'attends de vos nouvelles avec impatience et j'en ay encor plus de vous revoir.

V.

à Cirey par Vassy ce 24 x^bre (1748)

[1] ce n'est qu'à la fin de janvier 1749 que Voltaire a quitté Cirey pour Paris.

[2] c'est la première édition faite par le libraire Walther à Dresde en 1748, en huit volumes.

125

à Cirey par Vassy ce
27 x[bre] 1748

Che fate dunque? e che vi rende si neghittoza? Mavevate lusingato colla promessa di scriver mi, e d'inviar mi il vostro parere sopra il Catilina, e mi lasciate solingo nel bello deserto di Cirey senza scriver mi una riga. M'avevate detto qualche cosa d'un affare piu convenevole che non era quello del castello di Lile. Siete probabilmente tutta ingombrata adesso di questo nuovo affare. Ma vi supplico di dar mene qualche auviso. Temo ancora che siete ammalata. E mi raffiguro mille cose funeste, quando le vostre lettere mi mancano. Ecrivez moy donc ma chère enfant. Si j'aprends que vous vous portez bien je vous diray un rêve que j'ay fait cette nuit.

Peutêtre m'aurez vous écrit et aurez vous mis par mégarde le dessus à Lunéville.

Que faites-vous donc? et qu'est-ce qui vous rend si paresseuse? Vous m'aviez flatté de la promesse de m'écrire et de m'envoyer votre sentiment sur Catilina, et vous me laissez tout solitaire dans le beau désert de Cirey sans m'écrire une ligne. Vous m'aviez dit quelque chose d'une affaire plus convenable que ne l'était celle de la forteresse de Lille. Vous êtes probablement toute embarrassée maintenant de cette nouvelle affaire. Mais je vous supplie de m'en donner quelque avis. Je crains encore que vous ne soyez malade. Et je me figure mille choses funestes quand vos lettres me manquent....

adressée à madame / madame Denis, rue / du bouloir / à Paris; *endossée* 'Vuassy'.

126

à Cirey ce 29 xbre (1746) [1748]

Je suis au désespoir, je ne reçois point de lettres de vous, je tremble que vous ne soyez tombée malade. Pour comble de disgrâce je reste icy jusqu'au vingt, je m'y porte fort mal, je prends les eaux de Tancourt qui sont auprès de Cirey. On dit qu'elles me feront du bien, mais rien ne m'en fera que vos lettres. Ecrivez moy je vous en conjure, comment vous vous portez et ce que c'est que cette affaire dont vous m'avez parlé mistérieusement. Consolez moy et aimez moy. Bisogna scrivere discretamente perche le lettere sono tal volte aperte. Adio mia cara musa. Scrivete.

... Vous devez écrire discrètement parce que les lettres sont parfois ouvertes. Adieu, ma chère muse. Ecrivez.

adressée à madame / madame Denis / rue du bouloir / à Paris /; *endossée* 'Vuassy'.

127

à Cirey ce 4 janvier (1748) [1749]

Grand mercy de votre charmante lettre du 29 décembre. J'étois dans la plus mortelle inquiétude. Je suis bien flatté que mon épitre vous plaise. Je l'ay corrigée depuis[1]. Le commencement m'en paroit trop familier et trop petit.

Vous qui de la cronologie
Avez réformé les erreurs,
Vous dont la main ceuillit les fleurs
De la plus tendre poésie,
Henaut dites moy je vous prie,
Par quel art, par quelle magie
Avec tant de succez flatteurs
Vous avez désarmé l'envie.

Cela n'est pas encor trop bon, mais je veux vous faire une épitre qui soit mon petit chef d'œuvre.

L'épigramme que je vous ay envoyée est d'un lorrain, homme de baucoup d'esprit, qui étoit à la première représentation de Catilina. Il dit qu'il n'a jamais rien vu de si mauvais. L'exposé que vous m'en faites est plus modéré et plus sage. Personne en vérité n'a un goust plus épuré que le vôtre, et vous avez autant de talent que de goust. Mais mon aimable enfant ne poussez pas l'usage de vos talents, jusqu'à l'abus, ne vous excédez pas de travail jusqu'à vous donner des maux d'entrailles. C'est bien assez que j'en aye. J'ay la triste expérience que rien ne dessèche les entrailles, et ne nuit à la digestion comme un travail d'imagination. Ayez du moins de la santé pour nous deux. Que ne pui-je vous tenir à Cirey? Je ne pouray mon cher cœur vous revoir que sur la fin du mois. Ce sera le premier jour de l'an pour moy. Je ne suis pas fâché d'ailleurs de passer à la campagne le temps du fracas de Catilina.

L'affaire dont vous vouliez me parler n'est donc qu'une affaire d'argent? Eh bien si elle peut vous être utile, mandez moy ce que c'est. Les lettres sont rendues très sûrement. Nous ne sommes ny vous ny moy, ambassadeurs, on n'ouvre point nos paquets, et vous pouvez m'écrire avec confiance ce que vous pensez.

Adieu, mon cœur vous en dit mille fois plus que je ne pourois en écrire.

V.

adressée à madame / madame Denis / rue du bouloir / à Paris /; *endossée* 'Vuassy'.

[1]Voltaire avait adressé une épître des plus flatteuses au président Hénault, mais ce dernier trouva offensant pour son érudition que cette épître commençât par ses soupers:

Hénault, fameux par vos soupers,
Et pour votre chronologie....

Voltaire refit donc le commencement et renvoya le tout au président le 3 janvier 1749 (Best.3338).

128

à Cirey par Vassy ce 5 janvier (1747) [1749]

Ma chère enfant je reçois votre lettre du 2. Lieutenant général! envoyé du roy en Italie! Ma chère enfant il n'y a pas moyen de refuser cela. Je vous faisois une épitre dont le sujet est qu'il faut rester chez soy. Elle commence ainsi:

Vivons pour nous ma chère Rosalie,
Que L'amitié, que le sang qui nous lie
Nous tienne lieu du reste des humains.
Ils sont si sots, si dangereux, si vains,
Ce tourbillon qu'on appelle le monde
Est si frivole, et tant d'erreurs abonde
Qu'il n'est permis d'en aimer le fracas
Qu'à L'étourdi qui ne le connoît pas.
etc.

Mais il faut changer d'avis. Il y a des circomstances où ce seroit se manquer à soy même de refuser sa fortune. Plus je vous aime, plus je vous conjure de me percer le cœur en acceptant la proposition. Je vous avoue même que le séjour d'Italie me plairoit plus pour vous que celuy d'une citadelle. Je vous jure mon cher cœur que j'iray vous trouver dans votre résidence. N'en doutez pas; il vaudroit mieux pour moy passer mes jours à Paris avec vous dans le sein des lettres, du repos et de L'amitié. Mais je dois et je veux me sacrifier à votre bonheur. Epousez votre lieutenant général, je vous le demande à genoux. Mon rêve n'étoit point cela. C'étoit tout le contraire. Je vous le conteray en arrivant. L'excez de ma tendresse pour vous me fait tout oublier pour que vous ne manquiez pas un établissement si brillant. Finissez cette affaire là. Mandez moy tout ce que vous faittes, tout ce que vous comptez faire. Versez tout votre cœur dans le mien, c'est parler à vous même. Je vous aime uniquement, je vous aime pour vous.

Je ne suis occupé que de vous. Je reçois vos lettres avec sûreté et à l'heure précise où elles doivent arriver, et vous ne sauriez croire l'effet qu'elles me font. Si l'affaire dont vous m'avez déjà donné avis peut vous être utile, parlez m'en sans aucune crainte. Je brûle vos lettres après les avoir baisées. Adieu mon cher cœur, je vous embrasse mille fois.

adressée à madame / madame Denis / rue du bouloir / à Paris /; *endossée* 'Vuassy'.

129

Cirey 13 janvier (1747) [1749]

Je reçois mon cher cœur votre lettre du 9. Vous m'y donnez part du projet dont vous m'aviez parlé. Je doute fort du succez. Je ne crois pas que M. de Richelieu soit à portée de proposer la chose au roy; et quand même il la proposeroit, elle ne réussiroit pas si on ne s'étoit adressé au controlleur général.

Madame de P. seroit plus en état de protéger cette affaire. Mais elle ne le fera pas sans le conseil de M. de Montmartel. Aureste il faut que la proposition soit raisonable et facile, deux grands points qui sont assez rares. Nous en raisonnerons à mon retour.

Vous ne me parlez plus de M. de la Caseique. Il me semble pourtant par votre avant dernière lettre que vous n'êtes pas éloignée de porter ce nom là. J'en serois fâché pour moy, et au comble de la joye pour vous. Cette affaire me paroit plus faisable, selon ce que vous m'écrivez, que celle du mal de Richelieu. Il seroit plaisant que Crebillon eût fait faire ses derniers actes par l'abbé le Blanc[1]. Heureusement, c'est vous qui faittes les vôtres; et vous n'avez ny Linant ny Leblanc. On m'a envoyé quelques vers du Catilina qui pouroient bien être de Leblanc.

> Mais ce qui me surprend, c'est que Sertorius
> M'a dit qu'en aucun lieu l'on n'a vu Manlius.

On dit qu'il y en a baucoup de cette espèce. Mais pourquoy ne seroient ils pas de Crébillon?

Je vous embrasse mille fois ma chère enfant. Le moment où je vous reverray sera un des plus beaux de ma vie. Je vous diray mon rêve mais il faut que je sois délivré de mon maudit mal d'entrailles, grand ennemy de ces rêves là. Ayez soin des vôtres et conservez moy un cœur qui est toutte la consolation du mien.

V.

adressée à madame / madame Denis / rue du bouloir / à Paris /; *endossée* 'Vuassy'.

[1] Jean Bernard Le Blanc, dont Voltaire méprisait souverainement les talents, non sans raison.

130

[mi-janvier] (1747) [1749]

Mon cher cœur je viens de lire ce Catilina que vous avez la bonté de m'envoyer. Je ne reviens point de ma surprise, est il possible, je ne dis pas qu'on ait joué plusieurs fois un pareil ouvrage, mais qu'on ait pu en soutenir la première représentation? Non seulement la conduitte est le comble du ridicule d'un bout à l'autre, non seulement le dialogue est un propos interrompu plein de déclamations puériles, de sottises empoulées, de pensées fausses, d'extravagances sans intérest, de contradictions grossières, d'impertinences de toutte espèce, dont il n'y a point d'exemples; mais il n'y a pas dix vers qui soient français. Le stile paroît être du temps de Henri trois. Il semble que ce soit une gageure, une parodie? Quoy! on a osé protéger cet impertinent ouvrage? il y a eu une cabale en sa faveur? C'est la honte de la nation. Il n'est que trop clair que l'envie de m'humilier est le seul principe qui a formé cette faction qui déshonore l'esprit humain. Je vous avoue que je suis indigné, mais je méprise encor plus Paris que Catilina ne paraît mépriser le sénat; ma chère enfant il faut ne travailler que pour soy et pour ses amis, et non pour la canaille grande et petite. Je veux pardonner à ce pauvre Crebillon d'être un fou qui ne connoît ny le téâtre ny sa langue, mais comment pardonner à la faction des sots qui ont eu l'insolence et la bêtise de prôner, de mettre au dessus de Cinna, une pièce qui n'est pas digne de la foire?

N'en parlons plus; je suis trop en colère. Jo rivolvo tutti mi pensieri a voi mia cara. La vostra remembranza, il desio, la speranza di rivedervi, mitigano nell'animo mio, cio che questo Catilina vi haveva infuso d'acerbo e di malinconico. Vi parlate del vostro nuovo allogiamento. O se io potessi tenervi, nella questa dimora! se jo potessi! . . . Sono sempre ammalato, ma jo rinasco, jo vivo quando la mia fantasia mi rappresenta la mia musa, che scrive, che suona del cimbalo.

Lettres d'amour de Voltaire à sa nièce

...Je tourne toutes mes pensées vers vous ma chère enfant. Votre souvenir, le désir, l'espérance de vous revoir adoucissent dans mon âme ce que ce Catilina y avait infusé d'âpre et de mélancolique. Vous parlez de votre nouveau logement. O si je pouvais vous tenir dans cette demeure! si je le pouvais! ....Je suis toujours malade mais je renais, je vis quand mon imagination me fait voir ma muse qui écrit, qui joue du clavecin.

La pièce de Crébillon ayant été donnée pour la première fois le 20 décembre 1748, cette lettre doit être du commencement de 1749.

131

à Cirey ce 18 [janvier] (1748) [1749]

Votre lettre du 13 mon cher cœur est de la plus grande philosophe du monde. Vous méprisez des avantages que je ne saurois vous conseiller de mépriser. C'est à vous à choisir entre les préjugez du monde et votre sagesse, c'est à vous à vous décider. Pour moy je ne peux que vous aimer, vous admirer et attendre votre décision. Tout ce que je sçai c'est que nous ne délogeons point et que mon seul bonheur seroit de loger avec vous.

Que voulez vous dire avec les petites fantaisies, etc. que vous prétendez qui gouvernent ma vie? Ne vous ai-je pas ouvert mon cœur, ne savez vous pas que j'ay cru devoir au public de ne point faire un éclat qu'il tourneroit en ridicule? que j'ay cru devoir marcher toujours sur la même ligne, respecter une liaison de vingt années, et trouver même dans la cour de Lorraine, et dans la solitude où je suis àprésent un abry contre les persécutions dont je suis continuellement menacé? Je suis très instruit que si j'avois été à Paris ce mois cy on m'auroit mis très mal dans l'esprit de mad^e^ de P., et dans celuy du roy. On m'a fait d'étranges niches. Je vous en diray de bonnes à mon retour. Il y a encor bien loin d'icy à cet heureux moment. Ce ne sera que pour la fin du mois. Il est nécessaire que j'arrive tard, et que je ne donne aucun prétexte à ceux qui voudroient me faire parler. Je continueray assurément mon épître puisque le commencement vous plait. Je rapettasse actuellement Semiramis dont j'espère que vous serez plus contente que des premières leçons. Vous la lirez et vous me ferez lire la femme à la mode. Il n'y a que mon rêve qui puisse me faire autant de plaisir que vos ouvrages. Mais que je voudrois bien venir vite veiller avec vous comme je rêve! Hélas, en sui-je digne? Je compte sur vos bontez aumoins.

Ma chère enfant vous devez par ma dernière savoir ce que je pense sur l'affaire à proposer à M. de Richelieu. Ce que j'ay apris depuis me fait croire qu'elle réussira. Nous en raisonerons le trente janvier. Eh bien Catilina va toujours, on en dit bien du mal. Mais le plus grand mal est de courir à une mauvaise pièce. Vi baccio teneramente, e l'anima mia baccia anche la vostra.

...Je vous embrasse tendrement, et mon esprit embrasse encore plus le vôtre.

132

Dimanche [?2 mars 1749]

Je sortis hier et je ne m'en porte pas mieux. J'allay sémiramiser chez m. Dargental pendant que vous [étiez] avec Thalie. J'ay un peu de siatique aujourduy. Je ne sortiray point tant qu'il y aura de la neige. Je vous aimeray tant que j'auray un peu de vie.

On débite dans Paris que j'ay fait un cinquième acte nouvau à Sémiramis et que j'ay ay corrigé 800 vers. On vous cite pour l'avoir dit. Je vous conjure de bien assurer qu'il n'en est rien, de crier adroitement que je n'ay pas changé en tout plus de cinquante vers. On s'attendroit à une espèce de pièce nouvelle, et rien ne me feroit plus de tort. Vi baccio mille volte, vi amo teneramente.

V.

adressée à madame / madame Denis / rue du Bouloir /

La reprise de *Sémiramis* date du lundi 10 mars.

133

(1749)

Mia cara, j'ay plus d'envie de vous embrasser que vous n'en avez de revoir votre malade. Je ne dineray point, je dérangerai mon régime pour vous puisque vous voulez bien me donner à souper. Sacrifiez moy mad[e] du Bocage, elle ne vous aime pas tant que moy. Sta sera mia cara saro a j vostri piedi sulle nove hore e mezzo e vi baccio teneramente.

... *Ce soir ma chère enfant je serai à vos pieds vers les neuf heures et demie et je vous embrasse tendrement.*

adressée àmadame / madame Denis /

134

[vers mars] (1749)

Temo mia cara di non poter abracciar vi oggi. La giornata sara dunque perduta. Sono costretto d'andare vagando per la citta, benche un poco travagliato d'el purgamento d'hiersera. Mi lusingo di vederla domani. Vorrei passare con ella tutte le hore di mia vita.

Je crains ma chère enfant de ne pouvoir vous embrasser aujourd'hui. La journée sera donc perdue. Je suis obligé d'aller courir par la ville, bien que je souffre un peu de la purge d'hier soir. Je me flatte de vous voir demain. Je voudrais passer avec vous toutes les heures de ma vie.

135

[vers avril] (1748) [1749]

Cara, vi rimando la gentile comedia sopra la quale ragionaremo insieme. Ho dato j billettini al vostro primo corriere, e codesta lettera vi capitera per il secondo. Voi burlate, mia anima, nel scusar vi, e nel rimproverar me. Io vi amero teneramente tutta la mia vita, credero cio che vorrete, daro la mia aprobazione a tutto che farete, l'anima vostra e la mezza parte della mia, siete la mia consolazione ne' tutti miei affani. Vi baccio cento volte.

Ma chère enfant je vous renvoie la charmante comédie sur laquelle nous raisonnerons ensemble. J'ai donné les billets à votre premier courrier et cette lettre vous arrivera par le second. Vous plaisantez, mon âme, de vous excuser et de me faire des reproches. Je vous aimerai tendrement toute ma vie, je croirai ce que vous voudrez, je donnerai mon approbation à tout ce que vous ferez, votre âme est la moitié de la mienne, soyez ma consolation dans toutes mes afflictions. Je vous embrasse cent fois.

adressée à madame / madame Denis /

Ce n'est guère avant le printemps de 1749 que la pièce de mme Denis fut en état d'être montrée à Voltaire.

136

(Lunéville) [Paris vers le 10 juin] (1746) [1749]

On m'a mandé ma chère enfant que Le roy me conserve le titre, les honneurs et les fonctions de ma charge en me permettant de la vendre. C'est une si grande grâce que j'en doute encore. Je n'ay point reçu de lettre du ministre. Je vais à Versailles voir si on se moque de moy ou non.

Tout Paris sait que la petite comédie de Nanine est de moy. Il n'y a plus moyen de se cacher. Il est triste d'être siflé à visage découvert. Je comptois l'être sous le masque. J'ay bien envie de ne la pas donner. Songez à la vôtre. Je m'y intéresse plus qu'à la mienne. Vi baccio mille volte.

adressée à madame / madame Denis / .

Il semble que mme Denis n'ait pu se résoudre à choisir entre 1746, 1747 et 1748; on voit d'emblée que ce billet n'a pu être écrit de Lunéville; du reste aucun doute n'est possible, puisque c'est le 16 juin 1749 que *Nanine* eut sa première représentation à Paris; quelques jours plus tard Voltaire rentrait à Cirey.

137

à Lunéville, ce 24 juillet (1748) [1749]

Mia cara j'ay enfin reçu tout ce que je désirois de mr Dargental. Je retire donc les prières que je vous faisois. On m'a renvoyé Nanine. Savez vous bien que je vais y travailler encore, et baucoup? Croyez qu'une comédie est un des travaux d'Hercule; ne soyez ny surprise ny fâchée, quand je suis aussi sévère pour vous que pour moy. Non seulement il ne faut pas se reposer sur les aplaudissements de ses amis, mais il faut encor craindre ceux du parterre. Rien n'est si trompeur. On a joué amour pour amour[1] tout un carême. La Chaussée a été aplaudi et sera méprisé. Le méchant[2] qu'on interrompoit si souvent par des battements de mains est reconue pour une très mauvaise comédie dans la quelle il y a des vers de satire fort bien faits. Ce n'est guère qu'au bout de dix ans que le véritable succez d'un ouvrage est confirmé. Que de peines bon dieu, et quelle faible récompense! L'art est infini, le prix qu'on en receuille est de la fumée, et des peines réelles y sont attachées. Cependant ne nous rebutons pas. Travaillons mon enfant. Le plaisir même de travailler console de tout mais il ne me console pas d'être si loin de vous.

Fréron[3] succède donc à des Fontaines comme Rafiat à Cartouche. Mais n'y a t'il plus de Bissetre? Avez vous lu trois volumes de lettres de ce malheureux Roussau[4]? Il ne falloit conserver de luy que trois odes au plus, autant de psaumes, quelques épigrammes et jetter au feu le reste avec luy. On dit Racine fils[5] ou fy, éditeur de ces lettres. Il devroit être corrigé d'imprimer des lettres et il doit luy suffire d'avoir déshonoré son père. Bon soir, je vous aime plus que jamais.

V.

adressée à madame / madame Denis / rue du bouloir / à Paris /; *estampillée* LUNEV.

La lettre n'est pas de 1748, mais de 1749: c'est en effet le 24 juillet 1749 (Best.3421) que Voltaire remercie d'Argental d'avoir enfin renvoyé *Nanine*.

[1] de Nivelle de La Chaussée, représenté le 16 février 1742.

[2] de Gresset; mais enfin la fortune de cette pièce a été moins brillante et moins funeste que ne le prétend Voltaire: elle ne fut représentée en 1747 que treize fois et elle a été souvent reprise.

[3] en effet Elie Fréron reprenait en 1749, quoique avec moins de talent, les efforts antivoltairiens et antiphilosophes de Desfontaines; il venait de commencer ses *Lettres sur quelques écrits de ce temps* (1749-1754) qui devaient être continuées par *L'Année littéraire* (1754-1790).

[4] les *Lettres de Rousseau sur différen[t]s sujets* (Genève 1749-1750); il s'agit naturellement de Jean Baptiste.

[5] la publication des *Lettres* est en effet souvent attribuée à Louis Racine, mais les preuves manquent.

138

à Lunéville ce 12 [aoust] (1748) [1749]

Ma chère enfant, j'ay reçu aujourduy deux lettres de vous qui m'ont désolé. Je vous croiois à la campagne, et vous avez été malade à Paris. Peutêtre l'êtes vous encore. Vous travaillez avec un autre feu que mad^e du Bocage; et ce feu vous consume. Votre pièce en vaudra mieux mais il ne faut pas que l'architecte soit accablé par sa maison. Je vous donne des conseils que je n'ay pu prendre pour moy. Il y a longtemps comme vous savez que je roulois dans ma tête il y a près d'un an le dessein de vanger la France de l'infamie de Catilina. Je voulois rendre à Ciceron la gloire qu'il aimoit tant et qu'on avoit indignement avilie, jusqu'à le faire maquereau de sa fille ainsi qu'un certain prêtre, imaginé uniquement pour partager ce maquerellage. Je voulois vanger le sénat de Rome, et tout Paris. Je voulois réparer la honte de la nation. Mais ce projet m'avoit passé de la tête car comment introduire des femmes dans la conspiration de Catilina? Enfin le 3 du présent mois un démon ennemy du repos, s'empara de moy, me donna l'idée d'une femme qui fait un effet terrible, me fit relire Saluste et Plutarque, me fit travailler malgré moy, et me mena un si grand train qu'en huit jours de temps j'ay fait la pièce. Je suis encor épouvanté de ce tour de force. Je lisois tout les deux jours un nouvel acte à mad^e du Chastelet, qui est bien difficile; à m^r de s^t Lambert, qui a autant de goust que d'esprit; enfin à notre petite société. La plénitude du sujet, la grandeur romaine, le patétique affreux de la situation de ma femme, Ciceron, Catilina, Cesar, Caton m'ont élevé au dessus de moy même, m'ont donné des forces que je ne connaissais pas. Si on m'avoit demandé, combien de temps vous faut il pour cet ouvrage? j'aurois répondu, deux ans. Il a été fait en huit jours, et il faut tout dire en huit nuits: je me meurs, je vais dormir. Voylà comme sont faits les talents ma chère enfant, ils violent. Gardons qu'ils ne tuent. Songez à votre santé. Mais songez aussi à votre pièce. Je vous enverray quelques scènes de Catilina, mais en donnant donnant, souvenez vous de M. de la Reiniere.[1] On dit que Merope est froide, en comparaison de Catilina, et que je n'ay encor fait que cette tragédie. Cela n'est pas tout à fait vrai. Mais entre nous, je crois que Catilina est sans contredit ce que j'ay fait de plus fort à baucoup d'égards.

Il faut être bien sot et bien méchant pour m'imputer ce livre que j'ay à peine lu. Quelle impertinence! Laissons dire et faisons; travaillons, soyons heureux et revoyons nous, et que je puisse dire

Vivons pour nous ma chère Rosalie.

Quel est donc le fat avec qui vous êtes brouillée? Comment va la pièce à qui je m'intéresse plus qu'à Catilina? Les plattes lettres que celles de Roussau! Bonsoir.

Cette lettre est bien de 1749, et non de 1748: la composition de *Rome sauvée* en est la preuve.

[1] cela veut dire, 'faisons passer nos paquets par le fermier général chargé des postes'.

139

à Lunéville ce 14 [août] (1747) [1749]

Ma chère enfant j'ay envoyé à l'abbé Dolivet une espèce de brouillon des premières scènes de mon Catilina, et je l'ay prié de vous les porter. Je voudrais bien aussi qu'il lût votre comédie à tête reposée. Ce n'est pas un rieur, mais c'est un bon juge. Ayez la bonté de luy donner rendez vous chez vous. Comment va votre santé? comment va la petite maîtresse? Je m'intéresse bien tendrement à l'une et à l'autre. J'aime votre gloire après vous; et après votre gloire, j'aime peu de chose. Bonsoir ma chère enfant, je vous chérirai toute ma vie.

V.

La grand'chambre vient de me faire perdre un procez considérable, mais j'ay fait Catilina, il faut tâcher de ne pas perdre ce procez là.

adressée à madame / madame Denis / rue du boulier / à Paris /; *estampillée* LUNEV.

Nous avions proposé comme date: vers le 12 août 1749 (Best.3431) pour la lettre par laquelle Voltaire envoya *Rome sauvée* à d'Olivet, et ce billet à mme Denis vient heureusement confirmer notre raisonnement; le 1747 de mme Denis est donc faux.

140

à Lunéville 16 aoust (1748) [1749]

Comment vous portez vous? Je suis très inquiet de votre santé; ou écrivez moy ou faites moy écrire. Si vous pouviez aller entendre l'abbé Darty le jour de st Louis, allez y avec me Dupin[1]. Informez vous du lieu et de l'heure, et dites moy des nouvelles du panégirique d'un saint. Ce saint étoit un héros et je m'intéresse aux héros et à made du Pin. Avez vous l'abbé Dolivet[2]? On m'envoye les amazones[3], mais j'aime mieux la petite maîtresse. Portez vous bien ma chère enfant et écrivez moy.

V.

adressée à madame / madame Denis / rue du bouloir / à Paris /; *estampillée* LUNEV.

La date de mme Denis est naturellement fausse.

[1] sous ces mots anodins se cache un des plus curieux incidents de l'histoire littéraire; voir à ce sujet Best.appendice 51; en bref, mme Dupin avait procuré à son neveu l'abbé d'Arty le panégyrique de saint Louis pour l'année 1749, privilège très convoité, ce sermon étant prêché au Louvre devant l'Académie française. Or mme Dupin, sentant son neveu incapable de composer un discours à la hauteur de cette circonstance, s'adressa à Voltaire. Mais il fallait encore cacher la vérité, et la bonne tante fit copier le manuscrit écrit de la main du grand homme; c'est le précepteur qu'elle avait chez elle que mme Dupin chargea de la transcription: ce jeune homme s'appelait Jean-Jacques Rousseau. Nul doute sur cet événement: nous avons eu la correspondance et les manuscrits entre les mains.

[2] Pierre Joseph Thoulier d'Olivet, maître et ami de Voltaire.

[3] l'unique pièce d'Anne Marie Du Bocage, représentée le 24 juillet 1749.

141

à Lunéville ce 23 aoust 1749

Ma chère enfant, je ne reçois qu'aujourdui votre lettre du seize. Vous êtes l'âme la plus adorable que je connaisse. Quoy, prendre tant de soins, agir avec tant de vivacité pour prévenir un afront public que les comédiens faisoient tranquilement, que ce misérable Crébillon autorisoit indignement du sceau de la police! et qui auroit été reçu très avidement d'un public malin et injuste!! Je vous remercie tendrement. Vous pouvez m'inspirer tant qu'il vous plaira les sentiments de la reconnaissance mais je vous défie d'augmenter ceux de ma tendresse.

Nous avons icy l'évêque de Troye. Je le crois de l'académie sans qu'il s'en doute. On me mande qu'il l'emporte sur l'illustre abbé Leblanc. Je l'attends dans ce moment dans ma chambre où je soufre pour luy aprendre cette douce nouvelle.

Je vous parleray toujours de votre petite maîtresse, je ne cesseray de faire des vœux, et des remontrances, de vous aiguilloner, de vous chicanner, de vous presser et de vous retenir.

Vous avez vu sans doute le commencement de Catilina. M. Dargental a la pièce toutte entière. Je veux que vous la lisiez, écrivez luy. On luy rendra la lettre, de sa maison de Paris à Auteuil où il est avec sa femme. Demandez luy un rendez vous. Je veux absolument avoir votre avis. Cela ne ressemble à rien. Si Rome ne joue pas dans la pièce le rôle de L'amoureuse, le rôle intéressant, je suis perdu. Rome sauvée est le vray titre. Ciceron y joue un plus grand personnage que Catilina. Je ne sçai si nos Français aimeront bien Rome. Pourquoy non? On se fait honneur des sentiments qu'on n'a pas. On a bien lu la vie de Ciceron avec plaisir. Enfin si vous trouvez la pièce bonne, je ne crains point les caballes. Elles peuvent nuire pour un temps, mais elles servent à assurer le succez pour toujours. L'envie a son mérite. Je vous embrasse mille fois, ma chère enfant, écrivez moy. V.

Mais n'avez vous point vu l'abbé d'Olivet? Je luy ay envoyé il y a longtemps la moitié d'un premier acte pour vous le lire. Le boureau ne m'a pas encor fait réponse.

142

à Lunéville, 28 août 1749

Mais, mon aimable enfant, gardez vous de croire que vous ayez lu le premier acte. Et ayez la bonté de demander la pièce à mr d'Argental; lisez les cinq actes, pour dieu, et voyez si j'ai vengé Rome. J'ai rempli un devoir essentiel en informant madame de Pompadour de ma démarche, elle m'a fait une réponse très consolante. C'était là le cas de sacrifier aux grâces. Vous ai-je dit que nous avions ici le petit troyen? Je crois que mr l'évêque de Rennes[1] lui a soufflé la place de l'Académie. Pour se consoler, il s'est fait maître de la chapelle à Lunéville. Il vivra avec nous, jusqu'à ce qu'il ait payé ses dettes. Il a pris là un très bon parti. C'est un homme aimable de plus à notre cour, mais j'ai grande envie de la quitter pour vous dire que je vous aime de tout mon cœur.

V.

[1] Guy de Guerapin de Vauréal, qui fut élu le 4 septembre.

143

Mon aimable enfant, je ne vous ay jamais tant aimée. Presque touttes vos critiques me frappent, mais songez que vous n'avez vu qu'une esquisse de huit jours. Je veux laisser reposer l'ouvrage quelque temps pour le revoir avec des yeux frais, et afin de le mieux oublier. J'achève Electre, mais madame du Chastelet vient d'acoucher. Voylà huit jours que je vais perdre, sans cela vous auriez bientôt l'esquisse d'Electre. La vie est courte; il faut aller vite àprésent. Mais dites moy donc des nouvelles de votre comédie, de vos plaisirs, de tout ce que vous faites. Mon dieu que ne suije auprès de vous? Je vous embrasse tendrement mille fois.

V.

ce 4 sept^{bre} (1749)

adressée à madame / madame Denis / rue du Bouloir / à Paris /; *estampillée* LUNEV.

144

à Lunéville ce 10 sept[b] (1749)

Ma chère enfant je viens de perdre un amy de vingt ans. Je ne regardois plus il y a longtemps madame du Chastellet comme une femme, vous le savez, et je me flatte que vous entrez dans ma cruelle douleur. L'avoir vu mourir, et dans quelles circomstances! et par quelle cause! cela est affreux. Je n'abandonne pas monsieur du Chastellet dans la douleur où nous sommes l'un et l'autre. Il faut aller à Cirey, il y a des papiers importans. De Cirey je reviens à Paris vous embrasser et retrouver en vous mon unique consolation et la seule espérance de ma vie.

V.

adressée à madame / madame Denis / rue du Bouloir / à Paris /; *estampillée* LUNEV.

145

à Cirey par Vassy ce 17 sept[b] (1749)

Mon cher cœur, j'ay été la victime de l'amitié. J'ay vu mourir de la manière la plus funeste, une amie de vingt années. Je remplis àprésent un devoir qui augmente ma douleur. Jugez par mes regrets, jugez par là ma situation, si j'ay une âme faitte pour aimer, et si vous ne m'êtes pas plus chère qu'une personne, pour qui vous savez que je n'avois que les sentiments de la reconnaissance. Donnez moy donc tout votre cœur et regrettez moy un jour comme je regrette madame du Chastellet. Ecrivez moy, soyez l'unique et chère consolation du peu de jours qui me restent. Ecrivez à Cirey par Vassy. Mandez moy ce que vous faites. Je m'intéresse à tous vos sentiments, à tous vos pas, à touttes vos pensées. Remplissez un cœur qui ne peut admettre que vous.

V.

adressée à madame / madame Denis / rue du Bouloir / à Paris /

146

ce 23 sept[b] (1749) à Cirey

Vous me donnez ma chère enfant des consolations bien touchantes. J'en ay grand besoin je vous l'avoue. Je passe icy les jours dans les larmes, en arra[n]geant les papiers qui me parlent d'elle. Je ne regrette point une maîtresse, il s'en faut baucoup. Je regrette un amy et un grand homme, et mes regrets dureront assurément autant que ma vie. Vous en ferez le bonheur, de cette vie traversée par tant de chagrins. Je vous la consacre toutte entière. Je reste encor icy deux jours à achever de mettre tout en ordre. J'en vais passer deux autres chez une de ses amies, et je retourne à Paris à petites journées avec mes chevaux. Je ne peux faire autrement parce que ma chaise de poste que j'avois prêtée à son fils est brisée en mille pièces. J'éprouve tous les contretemps qu'on peut essuyer dans un pays sauvage loin de tout secours. Mais je ne les sens pas. C'est une piquure d'épingle à un homme blessé. Ce Cirey ma chère enfant est le palais d'Alcine[1]. Tout cela s'évanouit. Ce n'est plus qu'un désert horrible. Mais vous me restez. Si vous m'écrivez encore adressez votre lettre, *pour rester à s[t] Dizier jusqu'à mon passage*. Je verray donc à Paris vos cinq actes. Soyez bien convaincue que je m'y intéresse baucoup plus qu'à Catilina. Je ne pense ny ne peux penser à ces occupations qui faisoient mes délices, je ne peux plus soufrir mes ouvrages, mais j'aimeray les vôtres comme on aime ses petits enfans. Encor une fois mon cœur, ma vie est à vous; et vous en disposerez.

V.

adressée à madame / madame Denis / rue du Bouloir / à Paris /; *endossée* 'Vuassy'.

[1] de l'Arioste, *Orlando furioso*.

147

à Chalons sur Marne ce 29 septembre (1749)

Touttes vos lettres ma chère enfant m'ont pénétré des plus tendres sentiments, et touttes mes vues se bornent à passer avec vous le reste de ma malheureuse vie, et à mourir dans vos bras. Je reviens à Paris comme je vous l'avois mandé à très petites journées. Me voici à Chalons, je pourais bien aller passer à Reims quelques jours avec un ancien amy[1], vrai philosophe qui a le cœur tendre. Je crains le séjour de Paris, et les questions sur cette mort funeste. Je veux mettre un temps entre cette mort et la curiosité d'un public avide de nouvelles et dont la curiosité déchire les playes des malheureux. Je suis bien fâché que vous ne m'ayez point envoyé à Cirey cette pièce à la quelle je m'intéresse tant, et qui m'auroit servi de consolation sur ma route. C'est baucoup que Mr Dargental soit plus content qu'il ne l'étoit. C'est un excellent juge, non pas de ce qui doit avoir un succez passager auprès de la canaille du parterre, mais de ce qui doit réussir pour toujours chez les honnêtes gens. Luy et sa société m'ont paru depuis vingt ans les meilleurs connaisseurs de Paris, et en vérité vous avez eu grand tort de vous cabrer contre des avis aussi salutaires. Il faut que vous pressiez mr Dargental de vous dire la vérité dans toute son étendue. Que vous servirait un succez tel que celuy de made du Bocage? Les beautez supérieures que j'ay vues dans vos premiers actes, et dont cette pauvre made du Chastellet étoit si frappée ne suffisent pas, et s'il y a encor quelque chose à corriger dans les derniers il faut s'armer de courage. Rien n'est à négliger. Le sujet est si heureux, les beaux morceaux sont si brillants que vous devez en faire une pièce parfaitte. Ce sera une gloire immortelle pour vous et pour votre sexe. Baucoup de femmes ont fait des tragédies médiocres qui ont eü baucoup de représentations, les Barbiers[2], les Bernards[3], les Gomès[4] ont été aplaudies, mais quel cas fait on d'elles? Vous avez de quoy vous égaler aux plus grands hommes dans ce genre. Mais encor une fois ne soufrez pas qu'on vous déguise la vérité. Vous êtes digne qu'on vous la dise pour ne pas chercher à l'entendre. Je vous verray donc dans huit ou dix jours, vous et votre ouvrage. Je vous prie en attendant de vouloir bien engager mr du Pin à recommander à ses confrères deux charettes pleines de mes effets et surtout d'instruments de phisique que je fais venir de Cirey. Il y en a 25 grosses caisses, je serois fâché que cela fût bouleversé. Je peux assurer messieurs des quarante[5] qu'il n'y a dans ces vingt cinq caisses aucun chifon qui doive un denier au roy; ils pouroient ordonner qu'on portast cela chez moy sans m'assujettir à des formalitez désagréables. J'écris à mr de la Font[6], qui apartenait à cette malheureuse femme, je luy mande de recevoir mes caisses, et s'il n'a pas d'argent de s'adresser à vous pour payer les voituriers selon leur facture. Cela montera à environ 280ll que je vous remetray en arrivant. Je vous demande pardon ma chère enfant de tous ces détails désagréables. Ces voitures doivent arriver par la porte st Antoine. Mais moy mon cœur quand esce donc que j'arriverai, et que j'embrasseray ma chère enfant qui fait ma gloire et mon bonheur? Vous seriez bien aimable si vous m'écriviez à Reims chez mr de Pouilly où je vais me reposer. J'en partiray je vous jure dès que j'aurai reçu votre lettre. Adieu, je vous embrasse mille fois.

[1] Lévesque de Pouilly.

[2] Marie Anne Barbier, qui écrivit, entre autres pièces, une *Mort de César*, représentée en 1709.

[3] Catherine Bernard, dont les pièces comprennent un *Brutus* (1691).

[4] Madeleine Angélique Poisson Gomez; *Sémiramis*, représentée en 1716, est au nombre de ses pièces.

[5] les fermiers généraux, non pas l'Académie.

[6] son nom semble avoir été Lafond.

148

à Chalons ce 30 [septembre 1749] (1749)

Ma chère enfant je compte aller demain à Reims comme jevous l'ay mandé; et je vous avertis que je n'en partiray que quand j'aurai reçu une lettre de vous. Si je ne peux obtenir par m[r] du Pin, ou par quelque autre fermier général de vos amis que mes ballots me soient rendus chez moy, tâchez d'obtenir au moins qu'ils restent à la douane dans un dépost particulier jusqu'à mon arrivée. Il y a plusieurs paniers qui ne sont fermez qu'avec des cordes, et qu'il ne faudrait pas abandonner au bras séculier. C'est une petite négociation ma chère enfant que je remets à votre prudence et à votre amitié, en vous demandant bien pardon de cet embarras que je vous cause.

Avez vous vu m[r] Dargental? que dit il de cet ouvrage qui me tient tant au cœur? quand le donnerez vous? quand serez vous la première femme dont on ait vu une comédie? Je ne reviens point d'étonnement que vous ayez pu entreprendre une pareille besogne, ayant àpeine fait des vers. C'est bien là la véritable marque du génie. Vous et la personne que je pleure vous aurez été deux choses bien rares. Mais encor une fois ma chère enfant ne vous rebuttez pas sur les corrections et abandonnez vous à m. Dargental. Adieu mon cœur. Ce temps cy ne fait pas grand bien à ma santé.

à Chalons ce 30 (1748) V.

adressée à madame / madame Denis / rue du Bouloir / à Paris /; *estampillée* CHALONS

149

à Reims ce 5 oct[b] (1749) au soir en arrivant

Ma chère enfant, je vous dirai premièrement que j'ay reçu une grande consolation de m[r] Dargental qui m'aprend qu'il est baucoup plus content de votre ouvrage qu'il ne l'avoit été. Il pouvoit ne vous dire qu'une politesse, mais il me dit la vérité. Vous ne sauriez croire quelles espérances je conçois de votre fille, que vous allez mettre dans le monde. Comptez que je regarde ce moment comme un des plus intéressants de ma vie. Je m'intéresse baucoup moins à la maison où je logeois avec cette infortunée femme; elle m'est odieuse, et je n'en veux pour rien. Mr du Chastellet m'a écrit, et je trouve très bon qu'il la loue. Il y en [a] une autre qui apartient à m[r] de Boulogne, et qu'il pouroit me vendre. Elle est dans la rue s[t] Honoré près des Jacobins. Nous y serions tout deux fort à notre aise. Voylà quelle est mon idée, et si celle là ne réussit pas, nous chercherons ailleurs. Je vous remercie de la bonté que vous avez eue de parler à m[r] du Pin. Je ne demande autre chose sinon que mes effets soient en sûreté.

Je recevray à Paris la lettre que vous m'avez écrite à s[t] Dizier. J'étois probablement chez l'évêque de Chalons à sa campagne quand cette lettre arriva et j'avois laissé ordre à s[t] Dizier que mes lettres fussent renvoyées à Paris. J'ay demeuré à la campagne de l'évêque de Chalons plus que je ne comptois. Mon cœur vole vers vous, mais il a une répugnance invincible pour Paris, pour les curieux, pour les discours qu'il faudra essuier. Je n'ay pu m'empêcher de mettre un temps, entre le coup dont j'ay été frappé, et mon retour dans cette grande villaine ville. Je resteray encor lundy et mardy à Rheims. Je vous assure que ma déplorable santé exige ces ménagemens. Pardonez moy ma chère enfant si je n'ay pas revolé vers vous sur le champ, mais vous voyez mon état. Aurais je pu loger si tost dans cette maison de Paris? où aller, accablé et malade? Vos lettres m'ont consolé, votre présence m'auroit donné des soulagemens plus vifs et plus chers. Je n'ay que vous dans le monde. Je serois venu me loger auprès de vous chez un baigneur[1], si j'avois eü de la santé. Comptez que j'ay le cœur déchiré de n'être pas auprès de vous. Adieu mon cher cœur, je vous embrasse mille fois.

V.

adressée à madame / madame Denis / rue du Bouloir / à Paris /; *estampillée* RHEIMS

[1] les maisons de bains et lieux de rendez-vous galants du dix-septième siècle étaient devenus en partie des hôtels garnis au dix-huitième.

150

[octobre/novembre] (1749)

Non je ne suis point le plus aimable des hommes mais le plus malingre, le plus à vous, et le plus triste. Je soufre sans relâche, et sans pouvoir agir. Je compte malgré tout cela venir chez vous sur le soir si vous y êtes ma chère enfant, mais j'aimerois bien mieux n'avoir qu'à descendre. Il y a bien loin d'icy à noël.

V.

adressée à madame / madame Denis /

Voltaire arriva à Paris le 12 octobre 1749; il descendit à son appartement rue Traversière, où mme Denis le rejoignit le 10 janvier 1750 (Best.3531).

151

Dites à votre frère qu'il prêche contre ceux qui m'ont volé à Luneville Semiramis, Nanine, les mémoires de la guerre de 1741, qui ont fait imprimer tout cela, qui le vendent à Fontainebleau et qui me font courir dans ce maudit pays. Passez donc chez moy pour me consoler. J'en ay grand besoin. Je suis assailli de cent côtez. Bon jour consolation de ma vie.

V.

samedy [1 novembre 1749]

C'est à la fin d'octobre 1749 et au commencement de novembre (Best.3495, 3497-3501) que Voltaire se plaint du vol de ces manuscrits. L'*Histoire de la guerre de 1741* ne fut pourtant imprimée que beaucoup plus tard.

152

[?novembre] (1749)

Ammiro il vostro stilo italiano, mia cara, bramo il vostro cambiamento di casa. Sono senza stomacho, senza forse, ma ripieno della piu viva premura di riveder vi. Vado a Versailles hoggi. Ritornero martedi o mercoledi. Vorrei vedervi ogni giorno. Il tempio della [ ][1] non m'impedisce di dormire ma quello dell'amicizia, e la mia cathedrale, ed il centro della mia relligione. Adio mia carissima, adio.

J'admire votre style italien, ma chère enfant, je désire ardemment votre changement de demeure. Je suis sans estomac, sans forces, mais rempli de la plus vive impatience de vous revoir. Je vais à Versailles aujourd'hui. Je reviendrai mardi ou mercredi. Je voudrais vous voir tous les jours. Le temple de la [ ][1] ne m'empêche pas de dormir, mais celui de l'amitié est ma cathédrale et le cœur de ma religion. Adieu ma très chère, adieu.

adressée à madame / madame Denis /

[1] le mot manquant ne peut donc être 'gloire', *Le Temple de la gloire* ayant été représenté en 1745.

153

[novembre] (1749)

Tutti j miei dolori si sono di nuovo impadroniti del mio povero corpo. Mi lusingo di star bene quando io saro con voi nella medesima casa. Verro da voi oggi quando saro un poco meno male.

Toutes mes douleurs se sont de nouveau emparées de mon pauvre corps. Je me flatte de me bien porter quand je serai avec vous dans la même maison. Je viendrai vous voir aujourd'hui quand je serai un peu moins mal.

adressée à madame / madame Denis /

154

samedy [7 mars] (1747) [1750]

Mr de Cheneviere cara mia musa, vous rend bon compte des dispenses d'âge de votre frère; je vous en rendray un fort bon d'Alzire; vous auriez été étonnée. Je l'ay été, et j'ay pleuré. Les larmes ne se commandent point. Un courtisan peut battre des mains, s'extasier, exagérer. Mais il n'y a que le cœur qui pleure. Je vous aurois bien voulu lâ. Je ne vous reveray que mercredy ma chère enfant. Je verray mardy L'opéra. Je m'en donne probablement pour la dernière fois de ma vie. Je vous répons que je ne feray jamais de si long voiage à la cour; je me crois en pays perdu. Ma vraye demeure est où vous êtes. Tout m'est étranger. Vous êtes ma famille entière, ma cour, mon Versailles, mon Parnasse, et la seule ressource de mon cœur. Je croi que vous travaillez fort et ferme et moy aussi. Adio, vi amero sempre.

V.

adressée à madame / madame Denis / rue traversine /

Mme Denis s'est trompée de trois ans. C'est à partir des premiers jours de 1750, nous l'avons vu, qu'elle habita chez son oncle, rue Traversière (qu'on écrivait couramment à l'époque Traversine); à partir de cette date Voltaire n'est allé à Versailles qu'une seule, et effectivement dernière fois: c'était précisément pour diriger une représentation d'*Alzire* aux Petits-cabinets, le samedi 28 février 1750; 'On prétend que j'ai été étonnante', dit mme de Pompadour; A. P. Malassis, ed. *Correspondance de mme de Pompadour* (Paris 1878), p.37.

155

Je suis plus exact que vous ne pensez mia cara. Je vis hier Oreste, aujourduy j'ay vu des ministres et je vais voir Alzire. Il ne sera pas difficile qu'Alzire soit mieux jouée qu'Oreste. Melle du Menil pleura toujours et n'eut point de voix, melle Clairon eut trop de voix et ne pleura jamais. Granval joua à contresens d'un bout à l'autre, Rozeli comme un écolier. Ce qui vous surprendra c'est que Clitemnestre, tuée derrière la scène, ses cris qu'on entendoit, Le frémissement et les atitudes des acteurs qui redoubloient l'horreur, tout cela fit une des plus frappantes et des plus terribles catastrofes que vous puissiez imaginer. Mais elle seroit gâtée au téâtre de Paris par les blancs poudrez qui sont sur la scène. Je pouray bien rester icy deux ou trois jours; après quoy je reviendray goûter auprès de vous tout ce qu'on ne trouve point à Versailles. Les Chenevieres vous font mille compliments. Vi baccio mille volte.

V.

(de Versaille) ce vendredy (8 mai 1748) [27 mars 1750]

Encore une fois, plus la date de mme Denis est précise, plus elle est fausse; petit détail: le 8 mai 1748 n'était pas un vendredi; autre détail: *Oreste* fut représenté pour la première fois le 12 janvier 1750; reste à trouver un jour d'*Oreste*, suivi le lendemain d'une représentation d'*Alzire*; cela ne s'est jamais produit à Paris, et c'est donc à Versailles même que Voltaire a dû avoir ce plaisir aigre-doux, soit pendant la fermeture de Pâques; or le 20 mars Voltaire était à Paris; on peut ainsi fixer exactement la date de la lettre.

156

Je voudrais ma chère enfant avoir des chevaux pour venir vous voir, mais il m'en faut pour aller chez m[r] Dargenson à qui j'ay à parler. Comptez que je revoleray bien vite chez vous, et que je ne suis à mon aise que dans votre maison, quelque bien que je sois ailleurs. Il y a des devoirs qu'il faut remplir, mais il faut revenir à son bonheur et ce bonheur c'est de vivre avec vous. Je compte ne passer qu'un jour chez m[r] le marquis Dargenson, et vous revoir mercredy ou jeudy au plus tard.

Je suis bien étonné que mon cocher ne soit pas venu. Je vous prie de me l'envoyer sur le champ avec Les harnois de campagne. Comment vous portez vous? La campagne me fait un peu de bien, mais vous m'en feriez davantage.

V.

ce dimanche (1749) [9 mai 1750]

adressée à madame / madame Denis / rue Traversière près / de la fontaine Richelieu /

La date de cette lettre est fixée par une autre du même jour écrite de Sceaux au marquis d'Argenson (Best.3572).

Six semaines plus tard Voltaire fit le funeste voyage de Potsdam et ne revint à Paris que pour y mourir.

IMPRIMÉ EN SUISSE